中華國學經典百部

精華本

礼记

［西汉］戴圣 编

姜波 译注

中国书店

图书在版编目（CIP）数据

礼记 /（西汉）戴圣编；姜波译注 .—北京：中国书店，2023.10
（中华国学经典百部，精华本）
ISBN 978-7-5149-2963-8

Ⅰ . ①礼… Ⅱ . ①戴… ②姜… Ⅲ . ①礼仪–中国–古代②《礼记》–译文 Ⅳ . ① K892.9

中国版本图书馆 CIP 数据核字（2022）第 075467 号

礼记
〔西汉〕戴圣 编　姜波 译注
责任编辑：李宏书

出版发行：中国书店
地　　址：北京市西城区琉璃厂东街 115 号
邮　　编：100050
电　　话：（010）63171753（总编室）
（010）63017857（发行部）
印　　刷：三河市嘉科万达彩色印刷有限公司
开　　本：787mm × 1092mm　1/32
版　　次：2023 年 10 月第 1 版第 1 次印刷
字　　数：111 千
印　　张：6（全 300）
书　　号：ISBN 978-7-5149-2963-8
定　　价：1490.00 元（全 50 册）

前言

“礼”是维系社会正常秩序的重要内容。人类组建家庭、成立部落之后，为了适应随之而来的群居生活，自然而然地产生了一些用来维系人际生活交往的原则。《礼记》是一部研究中国古代社会状况、典章制度以及儒家思想的重要著作。这部书记载和论述了先秦时期的礼制和礼仪，孔子和弟子之间的问答，以及儒家修身养性的行为准则。

《礼记》初时据说有一百多篇，后为汉朝学者戴德简化为八十五篇，世人称之为《大戴礼记》。后来，戴德之侄戴圣在《大戴礼记》的基础上，再一次进行简化，终为四十九篇（原本应该为四十六篇，但因《典礼》《檀弓》《杂记》三篇过长，市面上大多版本将其分为上下篇，故有四十九篇之说），称之为《小戴礼记》。《大戴礼记》现已佚失多数，而市面上常见的《礼记》版本一般为《小戴礼记》。

从思想内涵来看，《礼记》一书虽然篇幅不大，但其内容却包罗万象，涉及了政治、律法、哲学、历史等社会日常的诸多方面，其中，尤为集中体现了先秦儒家的政治思想。比如，儒家对学习、传统、教育的主张，以及学以致用和积极入世的家国关怀等。

从古代礼制研究来说，《礼记》不仅描述了礼节礼仪的规范，同时还讲述了这些行为所代表的内涵，让“礼”表现出其文化系统的属性，为现代人提供了比较明确的行为准则和规范。所以，《礼记》所解读的不仅仅是行为规范，更是在这种规范之后所蕴含的文明基因和文化特色。

从当今的实用意义来说，《礼记》一书中还保存着一些让人深思并遵循的处世之道和个人修养的基本准则。比如，“不窥密”或者中庸之道等，都是一些很有思辨性的人生智慧的核心理论，同时，也是处理人际关系的一种思维观念和行为技能。

在编撰本书过程中，考虑到现实的阅读需求，我们从权威版本中筛选出经典、实用，且具有文学价值的二十八个篇章并节选部分内容，将其编辑成册。为了便于读者阅读与理解，我们将每篇分为诸多小节，每个小节分为三部分：原文、注释与译文。整本书结构严谨，言简意赅，意蕴深远。

当然，由于编者学识浅陋，本书的编辑难免会出现疏忽、遗漏之处，如若发现，敬请读者朋友们指正，不胜感激。

目录

曲礼上

曲礼指的是礼的各类仪式礼节。本篇内容包括吉、凶、军、宾、嘉五礼的相关礼仪，还有日常言谈举止、进退应对等生活礼仪，内容丰富，教人识礼、懂礼、守礼。

一

【原文】

《曲礼》曰：毋不敬，俨①若思，安定辞②，安民哉。

【注释】

①俨：通“严”，庄严、庄重的意思。

②辞：所说的话。

【译文】

《曲礼》说：待人处事必须恭敬严谨，神态应当端庄肃重，好像在沉思似的，说话态度要安详、所说的话要审慎。这样才能安定民心。

二

【原文】

敖①不可长，欲不可从②，志不可满，乐不可极。

【注释】

①敖：通“傲”，骄傲，傲慢。

②从：通“纵”，不加约束，纵容。

【译文】

不能滋长傲慢的心态，不能放纵自己的欲望，内心的志意不可过度自满，不能过度地享乐。

三

【原文】

临财毋苟得，临难毋苟免。很[①]毋求胜，分毋求多。疑事毋质[②]，直而勿有。

【注释】

①很：通“狠”，谓争讼。

②质：自我肯定的意思。

【译文】

面对财物，不可以随意占为己有；面对危险，不可以随意逃避。与人争吵时不可以狠辣地求胜，分配东西时不可以求多。对于有疑问的事情，不可以自以为是，有正确答案的时候也不能太过自我。

四

【原文】

若夫坐如尸[①]，立如齐[②]。礼从宜，使从俗。

【注释】

①尸：古代祭祀时代替神鬼受祭的人。

②齐：通“斋”，斋戒。

【译文】

坐着的时候就应该犹如受祭的人那样庄重，站着的时候就应该像斋戒那样恭敬。行礼要合乎时宜，出使他国时要入乡随俗。

五

【原文】

夫礼者，所以定亲疏、决嫌疑、别同异、明是非也。礼，不妄说①人，不辞费。礼，不逾节②，不侵侮，不好狎③。修身，践言，谓之善行。行修，言道，礼之质也。礼，闻取于④人，不闻取人；礼，闻来学，不闻往教。

【注释】

①说：通“悦”，使人愉快。

②节：有节制，有限度。

③狎（xiá）：不恭敬的样子。

④取于：请教于。

【译文】

礼是用来判断人与人之间的亲疏、分析事情嫌疑、辨别事物异同、分辨是非的。礼，不会随便讨好人，不会说没用的话。礼，不逾越，有节度，不侵犯侮辱他人，不轻佻亲狎。修养自我身心，实践自己的诺言，称为“善行”。举止有修养，说话有道理，这是礼的本质。关于礼的知识，只听说过向人请教学习的，没听过要求别人请教学习的。礼，只听说愿意学的人来学习，没听说过教授礼仪的人追着别人去传授的。

六

【原文】

大上[①]贵德，其次务施报。礼尚往来，往而不来，非礼也；来而不往，亦非礼也。人有礼则安，无礼则危。故曰：礼者，不可不学也。夫礼者，自卑而尊人，虽负贩者[②]，必有尊也，而况富贵乎？富贵而知好礼，则不骄不淫；贫贱而知好礼，则志不慑[③]。

【注释】

①大上：大通“太”，指传说中的三皇五帝之世。

②负贩者：做买卖时用肩挑着东西来卖的人。

③慑（shè）：胆怯，胆小。

【译文】

在上古时期，推崇以德为贵，而后世则推崇施恩与报答。在礼仪方面提倡往来：我前去施恩而受惠的人没来报答我，这与礼不相符；有人来实施恩惠而我没有前去报答，这与礼也不相符。人有礼，社会就安定；无礼，社会就会危乱。所以说，礼，是不可以不学的。根据礼的原则，为人应该自我谦卑，尊重他人，即便是挑着担子卖东西的小商贩，也是值得尊重的，更何况是地位尊贵、富有的人呢？有财富且知道主动遵行礼仪，就不会变得骄奢淫逸；生活贫贱却仍然懂得遵从礼仪规范，就会有志而无所畏惧。

七

【原文】

人生十年曰幼，学。二十曰弱[①]，冠[②]。三十曰壮，有室。四十曰强，而仕。五十曰艾[3]，服[4]官政。六十曰耆[5]，指使。七十曰老，而传[6]。八十、九十曰耄[7]，七年曰悼。悼与耄虽有罪，不加刑焉。百年曰期，颐[8]。

【注释】

①弱：身体还没有完全发育成熟。

②冠：古时候，男子二十岁时要行加冠之礼，意味着男子长大成人。

③艾：形容人年纪大了，白头发就好像艾草一样。

④服：担任，掌管。

⑤耆（qí）：年老。

⑥传：分配家产，交代家事。

⑦耄（mào）：指人因年老而视听能力下降、活动能力明显衰弱的状态。

⑧颐：赡养老人。

【译文】

人生十岁称为“幼”，可以开始学习。二十岁称为“弱”，将举行冠礼。将到三十岁时，称为“壮”，此时，就可以娶妻成家了。长到四十岁时，称为“强”，此时，就可以进入仕途为官了。长到五十岁时，称为“艾”，可以独当一面地处理大事了。长到六十岁时，称为“耆”，可以指使他人做事。长到七十岁时，称为“老”，可以分配家产、交代家事了。八十、九十岁时，称为“耄”，七岁时被称为“悼”，处于七八岁与八、九十岁这两个年龄段的人，即便犯了罪，也不可以被施以刑罚。年纪到了百岁时，被称为“期”，受人赡养，颐养天年。

八

【原文】

凡为人子之礼，冬温而夏清①，昏定②而晨省，在丑夷③不争。夫为人子者，三赐④不及车马，故州闾乡党称其孝也，兄弟亲戚称其慈也，僚友称其弟⑤也，执友⑥称其仁也，交游⑦称其信也。见父之执⑧，不谓之进不敢进，不谓之退不敢退，不问不敢对。此孝子之行也。

夫为人子者，出必告，反⑨必面，所游必有常，所习必有业，恒言不称老。年长以倍，则父事之；十年以长，则兄事之；五年以长，则肩随⑩之。群居五人，则长者必异席⑪。

为人子者，居不主奥⑫，坐不中席，行不中道，立不中门。食飨⑬不为概，祭祀不为尸。听于无声⑭，视于无形⑮。不登高，不临深，不苟訾，不苟笑。孝子不服暗⑯，不登危，惧辱亲⑰也。父母存，不许友以死⑱，不有私财。

为人子者，父母存，冠衣不纯⑲素。孤子⑳当室，冠衣不纯采。

幼子常视㉑毋诳。童子不衣裘裳，立必正方，不倾听。长者与之提携，则两手奉㉒长者之手。负、剑，辟咡诏之，则掩口而对㉓。

从于先生，不越路而与人言。遭先生于道，趋㉔而进，正立拱手。先生与之言则对，不与之言则趋而退。

从长者而上丘陵，则必乡长者所视。

【注释】

①清（qìng）：凉。

②定：摆放好枕头和席子。

③丑夷：同辈众人。

④三赐：指的是三命之赐。在周朝，官吏制度是有等级之分的，从一命到九命，每一命的待遇都不相同，都有标志各自等级的礼服与赏赐等，三命以上的人就可以享有周王赏赐的车马。文中是指由于父母健在，因此不敢接受这样的待遇。

⑤弟：通“悌”，尊敬兄长。

⑥执友：指志向相同的朋友。

⑦交游：交往的朋友。

⑧父之执：与父亲志同道合的人。

⑨反：通“返”，返回。

⑩肩随：与人并行往前走，身体略微靠后一些表示尊敬。

⑪群居五人，则长者必异席：古人围坐桌案的时候需席地而坐，通常每席只能坐四个人，如果超过四人，那么其中年龄最大的人就要另坐一席，也是表示敬长之意。

⑫奥：屋子的西南角，古人认为是最尊的地方。

⑬食（sì）飨（xiǎng）：食礼与飨礼。

⑭听于无声：在父母未说话之时，就已经知道父母的意图。

⑮视于无形：在父母还没有做出动作就已经看出父母的意思。

⑯不服暗：指不向父母隐瞒任何事情。

⑰惧辱亲：隐瞒父母一些事情与登上很高、很危险的地方，都是辱亲的行为。

⑱不许友以死：是指不向朋友承诺可以为其去死。

⑲纯（zhǔn）：指衣冠的镶边。

⑳孤子：指还没等到而立之年就失去父亲的人。

㉑视：通“示”，示范。

㉒奉：捧。

㉓掩口而对：在与长者说话时，要掩口回答。

㉔趋：快走。

【译文】

举凡做儿子的礼，冬天要让父母生活得温暖，夏天要让父母生活得清凉，晚上为他们铺好床被，放好枕头，早晨要向他们请安问好，在同辈中不和人争斗。做儿子的，做到三命之官后接受赏赐，但不敢接受车马，所以，乡里族人都赞扬他的孝顺，兄弟亲戚都赞扬他的善良，同朝为官者都赞扬他的恭顺，有相同志向的朋友都赞扬他的仁爱，而与他交往的人都赞扬他诚实可靠。前去拜访父亲的好友，人家不让进门，不敢自己做主进去；不让向后退，不敢自己做主向后退；人家没有提问，就不敢随意开口说话。这都是一个孝子应该具有的品行。

做儿子的，出门的时候一定要当面向父母禀报，回到家后也要亲自告知父母，外出游玩的时候必须要有常去的地方，学习的时候必须要有一定的专业，说话的时候不说“老”字。遇到年纪比自己大一倍的人，对待他要像对待自己的父亲一样；遇到年纪比自己大上十岁的人，对待他要像对待自己的兄长一样；倘若遇到年龄仅比自己大五岁的人，就能与之并排向前走，但要略微向后一些，以表示尊敬。倘若五个人坐在一个地方，那么年龄最大的人应该另设一席。

做儿子的，平常在家时，不要将尊长的位置占了，不要在正中的座位坐下，不要从正中的道路走，不要在门的中央站立。在食礼与飨礼的宴会上，要遵从长辈的安排，不要以为自己就是标准，在祭祀时不要充当受祭之人。在父母未曾有言语以前，要领悟父母的意思；在父母还没做出动作前，就知道父母的想法。不攀登较高的地方，不要去深渊的边上，不可以随便诋毁他人，不要随便与别人嬉笑。孝子不会向父母隐瞒任何事情，不会攀登到危险的地方去，因为害怕这样会让双亲受辱。父母还健在的时候，不能为了朋友以死相许，不能背着父母私存钱财。

做儿子的，在父母还健在的时候，不会在自己的帽子与衣服上用白绸镶边。父母已经不在世上的孤子，倘若当家做主，不会在帽子和衣服上用彩绸镶边。

在教导孩子时不要说谎给他做示范。皮衣与裙子，儿童都不要穿。站立的时候必须保持端正的姿势，不可以偏着头听人说话。如果长者要牵自己的手，就用双手捧着长者的手。倘若长者俯下身来在耳边说话，就要用手将口掩住，然后再进行回答。

在先生后面走路，不要随便越过道路与别人说话。倘若在路上与先生相遇，你就要快步上前，正立拱手见礼。倘若先生要和你说话，你就配合着回答。倘若先生不与你说话，你就要快速退到一边去。

跟着长者登上较高的山坡时，必须要朝着长者所看的方向看去。

九

【原文】

登城不指，城上不呼。将适舍，求毋固[①]。将上堂，声必扬。户外有二屦[②]，言闻则入，言不闻则不入[③]。将入户，视必下[④]。入户奉扃[⑤]，视瞻毋回；户开亦开，户阖亦阖；有后入者，阖而勿遂。毋践屦，毋踖[⑥]席，抠衣趋隅，必慎唯诺。

【注释】

①固：平时固有的样子。

②户外有二屦（jù）：古人在去别人家做客入室之前，要将鞋子脱在室外。若室外有两双鞋，则说明室内有两个人或三个人，因为长者可以将鞋子放在室内。

③言闻则入，言不闻则不入：若在外面的人听到屋内人说话，那么可以进入室内；若没有听到室内人说话，那么室内人很可能在商量一些秘密的事情，就不要进去打扰。

④视必下：眼睛要向下看，以免看见他人隐秘之事。

⑤奉扃（jiōng）：形容双手好像举着门闩的样子。这里是表示恭敬与谦卑的意思。扃，门闩、门杠，是关闭大门用的横木。

⑥踖（jí）：踩，踩踏。古人入席的时候是有次序之分的，要从席子的后方走上去坐下，而不能从席子的前面走上去，否则就犯了踖席的错误。

【译文】

在登上城墙的时候，不随意指示方向，因为可能会迷惑大家，也不要大呼小叫，因为可能会惊吓到别人。将出门投宿馆舍，不能像平常在自己家那样随便。即将走到堂上时，要先发出一些声音进行探问。看到门外放着两双鞋子，能听到室内人说话的声音，是可以进去的；倘若不能听到室内人说话的声音，就不要进去。即将进门的时候，眼睛应该向下看，以免看到别人的隐私。进门的时候，双手要像捧着门闩似的放在胸前，不要四处乱看。如果房门在你进来时就是开着的，那么进门后不用关，仍然让门开着；如果房门在你进来前就是关着的，那么进门后就要将门关上；如果后面还有别人要进来，那么不要将门关死，轻轻掩上即可。进门时不可以踩踏他人的鞋子，不要从座席的前方入席，一定要轻轻提着衣服快速走到座席的下方，然后入席。与人谈话时，必须谨慎地答复。

十

【原文】

凡与客入者，每门让于客。客至于寝门，则主人请入，为席，然后出迎客。客固辞，主人肃客[1]而入。主人入门而右，客入门而左。主人就东阶，客就西阶。客若降等[2]，则就主人之阶。主人固辞，然后客复就西阶。主人与客让登，主人先登，客从之，拾级聚足[3]，连步以上。上于东阶，则先右足，上于西阶，则先左足。

【注释】

①肃客：引领客人进入。肃，进入的意思。

②降等：按照旧时的礼制规定，宾客的等级要比主人的等级略低。

③拾（shè）级聚足：指每上一级台阶，都要并拢一次双脚，然后再登下一个台阶。

【译文】

凡是主人和客人一块儿进门，每走到一个门口的前面，主人都要让客人先进。而客人走到寝室门口，主人要先于客人走进去，为客人设席摆坐，然后再迎客人进去。如果客人一再推辞，那么主人就走在前面引领客人进入寝室。主人进入寝室后要向右走，客人要向左走。主人走到东阶前，客人走到西阶前。如果客人的身份地位比不上主人，那么就要走到主人的身边，跟在主人的后面上堂，倘若主人一再推辞，那么客人可以再次回到西阶前。对于登阶的先后顺序，主人要与客人彼此谦让，主人先登一阶，客人也随之登一阶。在登阶时，每上一级台阶，都要并拢双脚一次，然后再登下一个台阶。上东阶时要先迈出右脚，上西阶时，要先迈左脚。

曲礼下

一

【原文】

凡奉者当心，提者当带①。执天子之器则上衡②，国君则平衡，大夫则绥③之，士则提之。凡执主器，执轻如不克。执主器，操币④、圭、璧，则尚左手，行不举足，车轮曳踵⑤，立则磬折⑥垂佩。主佩倚，则臣佩垂；主佩垂，则臣佩委⑦。执玉，其有藉者则裼，无藉者则袭⑧。

【注释】

①带：指古代贵族系于衣服外面的大带。

②上衡：比心脏高的地方。

③绥（tuǒ）：比心脏低的地方。

④币：古代行礼时使用的束帛。

⑤车轮曳（yè）踵（zhǒng）：好像车轮滚动一样低调。曳，拽、拉。踵，脚跟。

⑥磬（qìng）折：弯下腰。

⑦佩委：指腰佩要垂到地上。

⑧有藉者则裼（xī），无藉者则袭：这句话是讲古代使臣与他国行聘礼时对执玉及礼服的规定，这个礼节由两部分组成，首先要行聘礼，代表己国国君向对方国君及夫人献上圭、璋，然后行享礼，向国君及夫人献上琮、璧等礼物。进献圭、璋的时候无须用其他物品遮盖，所以叫“无藉”，进献琮、璧的时候要放在束帛上，所以叫“有藉”。而所穿的礼服之外要穿一件罩衣，称为“裼”，裼之外再穿上正服，如朝服等，叫作“袭”。在非重大礼仪上，贵族要解开正服的前襟，露出里面的裼衣，叫作“裼”

（动作）。遇到重大礼仪，要掩藏衣服的前襟，叫作“袭”（动作）。

【译文】

凡是捧着东西的人应该捧在当心的地方，提着东西的人，手要向上弯曲到当带处。拿天子用的器物时要高过自己的心脏，拿国君用的器物时要与自己的心脏平齐，拿大夫用的器物时要比自己的心脏略低，拿士用的器物时只需用手提着即可。凡是为天子拿器物时，不管器物有多么轻，都要像拿不动似的。为国君拿器物，比如币、圭、璧等物，要将左手放在上面，抬脚走路的时候就像车轮滚过去似的拽着脚后跟行走，站着时要弯着腰以使佩巾始终悬垂。国君保持直立的时候佩巾贴合在自己身上，臣子就应该将腰弯下来使佩巾悬垂；国君腰弯下来使佩巾悬垂，臣子就要伏下身使佩巾垂到地上。行聘礼时要手中拿着玉器，倘若玉器下面有衬托物，就要将正服的前襟解开，将里面的裼衣露出来；倘若没有衬托物，就要将正服的前襟掩好。

二

【原文】

国君不名卿老①、世妇②。大夫不名世臣③、侄、娣④。士不名家相⑤、长妾⑥。君大夫⑦之子，不敢自称曰“余小子⑧”。大夫、士之子，不敢自称曰“嗣子某⑨”，不敢与世子⑩同名。

【注释】

①卿老：指上卿。

②世妇：指地位仅在夫人之下的陪嫁者，通常指夫人的侄女或者妹妹。

③世臣：父辈时期的老臣。

④侄（zhí）、娣（dì）：指随夫人陪嫁过来的侄女或妹妹。

⑤家相：指统领家臣的人。

⑥长妾：指最先生下儿子的妾。

⑦君大夫：指在天子那里得到封地的大夫。

⑧余小子：天子服丧期间的一种自称。

⑨嗣子某：诸侯在丧的一种自称。

⑩世子：这里指的是太子。

【译文】

国君不可以直接叫上卿、世妇的名字。大夫不可以直接叫世臣和侄、娣的名字。士人不可以直接叫家相和长妾的名字。享有封地的大夫的孩子在居丧期间不可以自称"余小子"。大夫与士的孩子在居丧时不可以自称"嗣子某"，不敢与太子重名。

三

【原文】

君使士射[1]，不能，则辞以疾，言曰："某有负薪之忧[2]。"侍于君子，不顾望[3]而对，非礼也。

【注释】

①君使士射：这里说的是士人与君为耦而进行的一种射箭的礼仪。古人在举行射箭比赛之前，会安排参赛的人两两配对，然后再进行比赛，被称为"射耦"。

②负薪之忧：背柴累得病倒了，是古时候自称有病的一种谦辞。

③顾望：看看周围是不是有强于自己的人。

【译文】

国君命令士参加射箭比赛，倘若士对射箭一窍不通，就要以有病相托词，说：“我有些累病了。”

在君子身边侍奉，君子提出问题后，如果不看着周围是否有强于自己的人而贸然回答，是不符合礼的。

四

【原文】

君子行礼，不求变俗。祭祀之礼，居丧之服，哭泣之位，皆如其国之故[①]。谨修其法，而审行之。去国三世，爵禄有列于朝，出入有诏于国。若兄弟宗族犹存，则反告于宗后[②]。去国三世，爵禄无列于朝，出入无诏于国，唯兴[③]之日，从新国之法。

【注释】

①皆如其国之故：都与在自己国家时一样。

②宗后：指宗族的后裔。

③兴：指做了卿大夫。

【译文】

君子在别的国家不要放弃本国的礼仪习俗。祭祀时的礼仪，居丧时的服制，在什么位置哭泣死者，都应该像在自己国家时一样，小心地遵循本国的礼法而谨慎执行。如果从自己国家离开已经有三代，家族中还有在朝廷担任官职的人，那么出入往来别国仍要报告本国国君。如果本国仍有宗族存在，那么遇到丧事与喜事，就应该派人向族长报告。如果从自己国家离开已经有三代，家族中没有在朝廷担任官职的，出入往来他国的时候，就不须向本国国君报告了，在担任他国卿大夫时开始，就要去遵守他国的法令制度。

五

【原文】

君子已孤①不更名，已孤暴贵②，不为父作③谥。

【注释】

①孤：指幼年丧父或父母双亡的人。

②暴贵：大富大贵的意思。

③作：拟定。

【译文】

君子在父亲去世后就不会再改动自己的名字。即使在父亲去世后自己突然发达富贵，也不会再为亡父亲拟定谥号。

六

【原文】

君子将营①宫室，宗庙为先，厩库②为次，居室为后。凡家造③，祭器为先，牺赋④为次，养器⑤为后。无田禄者，不设祭器，有田禄者，先为祭服。君子虽贫，不粥⑥祭器；虽寒，不衣祭服。为宫室，不斩于丘木⑦。

【注释】

①营：修建。

②厩库：指马厩、仓库。

③家造：专指古代大夫置办家中所用的器物与用品。

④牺赋：大夫拥有采邑，可以向老百姓征收祭祀时使用的牲畜抵为赋税。

⑤养器：指是生活中使用的各种器具。

⑥粥（yù）：通“鬻”，变卖。

⑦丘木：坟地上的树木。

【译文】

君子打算建造宫室的时候，首先要建宗庙祠堂，其次是建马厩与仓库，最后才修建自己居住的房间。大夫打算制作器物用具，首先应当先制造祭祀用的器皿，其次是向老百姓征收祭祀用的贡品，最后才是制作日常所用的器具。没有田地产业俸禄收入的人，不需要置办祭祀用的器具；拥有田地产业俸禄收入的人，应该先制作祭服。即便君子再贫穷，也不会卖掉祭器；即便天气再寒冷，也不会穿祭服御寒。修建宫室的时候，不会砍伐坟地上的树木。

七

【原文】

大夫、士去国[①]，祭器不逾竟。大夫寓祭器于大夫，士寓祭器于士。大夫、士去国，逾竟为坛位，乡国而哭，素衣，素裳，素冠，彻缘，鞮屦[②]，素簚[③]，乘髦马，不蚤鬋[④]，不祭食，不说人以无罪，妇人不当御[⑤]，三月而复服[⑥]。

【注释】

①大夫、士去国：这里指多次向国君进谏都失败而离开国家的大夫、士人。

②鞮（dī）屦：没有装饰的鞋子。

③素簚（mì）：用白色的狗皮盖在车厢前用作扶手的横木上。

④蚤鬋（jiǎn）：通“爪剪”，剪指甲、理发。

⑤御：接近、服侍。

⑥复服：恢复成本来的样子。

【译文】

大夫、士人从自己的国家离开时，不可以将祭器带出国境。大夫要将祭器寄存在大夫的家中，士人要将祭器寄存在士人的家里。大夫与士人一出了国境，就要设置土坛，朝着国家的方向哭泣，衣与裳都要穿白色的，帽子也要戴服白色的，要拆掉衣裳与帽子上的镶边，穿上没有装饰的鞋子，把所乘车子的扶手用白狗皮蒙上，乘没有修剪过鬃毛的马驾的车，不去修整自己的手脚指甲和须发，吃饭之前不再有祭食的礼仪，不向别人诉说自己的冤屈，不与妇人同房，三个月后才可以恢复正常生活。

八

【原文】

国君春田不围泽①，大夫不掩群②，士不取麛卵③。岁凶，年谷不登，君膳不祭肺④，马不食谷，驰道不除，祭事不县⑤，大夫不食粱，士饮酒不乐⑥。君无故玉⑦不去身。大夫无故不彻县。士无故不彻琴瑟。

【注释】

①泽：水草杂生的地方，这里指行猎的围场。

②掩群：追捕成群的野兽。

③麛（mí）卵：是指鸟类动物的卵和幼兽。

④不祭肺：不杀生祭祀。

⑤县（xuán）：通“悬”，指悬挂挂钟等乐器。

⑥乐：演奏乐曲。

⑦玉：指贴身戴着的玉质配饰。

【译文】

国君在春季行猎的时候，不会将整个猎场都包围起来，大夫不会追捕成群的野兽，士人不会猎杀幼兽、掏取鸟卵。遇到旱涝的灾荒年，庄稼几乎没有收成，国君就不能再杀生祭祀了，喂马时不再喂谷类，驰道不再修整，祭祀时也不再演奏乐曲。大夫们不会再吃稻粱，士人喝酒时也不再演奏乐曲。如果没有特别的原因，国君的佩玉不会离身。如果没有特别的原因，大夫们也不会撤除家中悬挂的钟磬。如果没有特别的原因，士人也不会撤去家中摆设的琴瑟乐器。

九

【原文】

士有献于国君，他日君问之曰：“安①取彼？”再拜稽首而后对。大夫私行②出疆，必请，反必有献。士私行出疆，必请，反必告。君劳之则拜。问其行，拜而后对。

国君去其国，止③之曰：“奈何去社稷也？”大夫，曰：“奈何去宗庙也？”士，曰：“奈何去坟墓也？”国君死④社稷，大夫死众⑤，士死制⑥。

君天下曰“天子”。朝诸侯、分职、授政、任功，曰“予一人”。践阼⑦，临祭祀，内事⑧曰“孝王某”，外事⑨曰“嗣王某”。临诸侯，畛⑩于鬼神，曰“有天王某甫⑪”。崩，曰“天王崩”。复，曰“天子复矣”。告丧，曰“天王登假⑫”。措之庙，立之主，曰“帝”。天子未除丧，曰“予小子”。生名之，死亦名之。

天子有后，有夫人，有世妇，有嫔，有妻，有妾。天子建天官，先六“大”⑬，曰大宰、大宗、大史、大祝、大士、大卜，典司六典。天子之五官，曰司徒、司马、司空、司士、司寇，典司五众⑭。天子之六府，曰司土、司木、司水、司草、司器、司货，典司六职⑮。天子之六工，曰土工、金工、石工、木工、兽工、草工，典制六材⑯。

五官⑰致贡曰“享”。五官之长曰“伯”，是职方。其摈⑱于天子也，曰“天子之吏”。天子同姓谓之“伯父”，异姓谓之“伯舅”。自称于诸侯曰“天子之老”，于外⑲曰“公”，于其国曰“君”。九州之长入天子之国曰“牧⑳”。天子同姓谓之“叔父”，异姓谓之“叔舅”，于外曰“侯”，于其国曰“君”。其在东夷、北狄、西戎、南蛮，虽大曰“子”。于内自称曰“不穀”，于外自称曰“王老”。庶方小侯入天子之国曰“某人”，于外曰“子”，自称曰“孤”。

【注释】

①安：怎么。

②私行：为了私事而出行。

③止：制止、劝告。

④死：为……而死。

⑤众：指军事行动，军事作战。

⑥制：按君主的命令行事。

⑦践阼（zuò）：这里特指天子、君王、皇帝登临皇位。

⑧内事：指在宗庙举行祭祀等郊内之事。

⑨外事：指在郊坛举行祭祀，对外用兵，田猎等郊外之事。

⑩畛（zhěn）：告诉，告知。

⑪甫：古代加在男子的名字之下，表示一种美称。

⑫登假（xiá）：升天的意思。

⑬大：通“太”。

⑭众：指各自的下属官员。

⑮职：事情、内务。

⑯材：这里指器材。

⑰五官：这里是指公、侯、伯、子、男五等。

⑱摈（bìn）：通“傧”，引导宾客。

⑲于外：指封地之外的地方。

⑳牧：指州的最高长官。

【译文】

士人进献东西给国君，过些天国君向士人询问道：“这些东西是从哪里得到的？”士人必须再行稽首礼后才能回答。大夫因私事需要出境，必须先向国君提出申请，回来后一定要向国君进献礼物。士人因私事需要出境，必须先向国君提出申请，回来后一定要向国君报告。倘若国君对归来的大夫、士人加以慰劳，大夫、士人就要拜谢。如果问到路上的事情，大夫、士人就要先拜礼然后再回答。

国君从自己的国家离开，要对他进行劝阻，就说：“为什么要丢弃自己的江山社稷呢？”大夫要离开自己的国家，就说：“为何要抛弃自己的宗庙呢？”士人要离开自己的国家，就说：“为何要抛弃自己祖宗的坟墓呢？”国君应当为自己的国家而死，大夫应当为军事作战而死，士人应当为自己君主所赋予的使命而死。

统领天下的人被称为“天子”。在朝见诸侯、分派官阶职务、分摊政事、任命政功的时候，自称“予一人”。君主登王位、祭祖的时候称“孝王某”，郊外祭祀的时候，称

“嗣王某”。对诸侯国进行巡视或者祭祀鬼神的时候，称“有天王某甫”。天子死去，称“天王崩”。为天子招魂的时候，称“天子复矣”。公布天子死讯的时候，称“天王登假”。将灵位放进宗庙里，设立牌位，称“帝”。新天子守丧期还没过的时候，称“予小子”。进入守丧期时还活着的王子，称“小子王”。如果守丧期还没有结束就死掉了的王子，也要称“小子王”。

天子的内宫中有很多女性，其职位各不相同，包括王后、夫人、世妇、嫔、妻、妾等。天子建立官位的时候，先设置六“大”，分别为大宰、大宗、大史、大祝、大士和大卜，负责对六类典章制度进行管理。天子又设立了五官，分别为司徒、司马、司空、司士、司寇，负责对所属的官员进行统辖和管理。天子又建立了六个府库，分别为司土、司木、司水、司草、司器、司货，负责管理各自所涉及的事务。天子还创建了六工，分别为土工、金工、石工、木工、兽工、草工，负责管理各方面的器物和制作。

公、侯、伯、子、男五等诸侯向天子献纳贡品叫作“享”。他们的长官称为“伯”，管理一方事务。他在天子身边负责通报者的带领下入宫朝见时，被称为“天子之吏”。如果伯与天子同姓，那么就会被叫作“伯父”，如果是异姓，就会被叫作“伯舅”，伯在其他诸侯面前自称“天子之老”，在封国之外的人称为“公”，在封国之内的人称为“君”。九州诸侯的首领到天子的领地内，被称作“牧”。如果“牧”与天子同姓，那么天子就称其为“叔父”，如果是异姓，那么天子就称其为“叔舅”。封国之外的人将其称为“侯”，封国之内的人将其称为“君”。某些地方的诸侯，比如东夷、北狄、西戎、南蛮，即便拥有广阔的土地，也仍然称为“子”。他们在封国内自称“不榖”，在封国之外自称

“王老”。更偏远地区的诸侯到了天子的领地内就自称为“某人”，他们在属国之外就称“子”，自称“孤”。

檀弓上

檀弓是人名，由于本篇第一章记录的是与檀弓有关的事情，因此以“檀弓”作为篇名。本篇主要记载当时人们礼行得失的言语或者事迹，与丧礼有关的内容居多。

一

【原文】

公仪仲子①之丧，檀弓②免③焉。仲子舍其孙而立其子④。檀弓曰：“何居⑤？我未之前闻也。”趋而就子服伯子⑥于门右，曰：“仲子舍其孙而立其子，何也？”伯子曰：“仲子亦犹行古之道也。昔者文王舍伯邑考而立武王，微子舍其孙腯而立衍也。夫仲子亦犹行古之道也。”子游问诸孔子，孔子曰：“否！立孙⑦。”

【注释】

①公仪仲子：春秋时期鲁国人，姓公仪，字仲子，被郑玄称为“盖鲁同姓”。

②檀弓：鲁国通晓礼仪的人，姓檀名弓，与公仪仲子是很好的朋友。

③免（wèn）：头上的丧饰。

④舍其孙而立其子：舍弃嫡长孙而立庶子为继承人。依周制，王位要传给正妻所生的嫡长子，嫡长子在父王之前死的，王位要传给嫡长孙。

⑤居（jī）：句子末尾的语气词，表示疑问。

⑥子服伯子：公仪仲子的同宗兄弟。

⑦立孙：即立嫡长孙为后。这是孔子以周礼作为依据而得出的结论。

【译文】

公仪仲子的嫡长子死了，檀弓前去吊唁。公仪仲子舍弃了自己的嫡长孙而选择了自己的庶子作为继承人。檀弓说道："这是为什么啊？这样的做法，我可从来没有听说过啊！"他快步走向门的右边，向子服伯子请教："仲子为什么要舍弃他的嫡长孙而选择他的庶子呢？"伯子说道："仲子也是依照古人的例子来做的。以前，周文王舍弃嫡子伯邑考而确立了武王，宋微子也没有让他的嫡孙作为继承人而确立了他的弟弟衍，因此仲子也仍是在遵行古人的做法啊！"后来，子游就这件事情向孔子请教，孔子说："公仪仲子是错误的，他应该立嫡长孙为继承人。"

二

【原文】

事亲有隐而无犯，左右就养无方①，服勤②至死，致丧三年。事君有犯而无隐，左右就养有方，服勤至死，方丧三年。事师无犯无隐，左右就养无方，服勤至死，心丧三年。

【注释】

①无方：没有固定的方式。陈澔（hào）说："左右，即是方。子之于亲，不止饮食之养，事事皆当理会，言或左或右，无一定之方。"

②服勤：从事各种劳苦的事情。

【译文】

在父母身边侍奉的时候，可以将父母的过失隐瞒下来，不能冒犯父母并极力劝导，服侍在父母的左右，从来就没有什么固定的方式，勤恳地服侍父母直至父母去世，极尽哀伤地为父母守孝三年。在国君身边侍奉的时候，可以冒犯君威极力劝谏，但不可以隐瞒君主的过失，在合适的位置服侍君主，勤恳地服侍国君直到国君去世，然后守丧三年。在老师的身边侍奉，不要冒犯老师也要敢于劝谏，以学生的身份服侍老师左右，勤恳地服侍老师，直到老师去世，在之后的三年中一直在心里悼念他。

三

【原文】

季武子①成寝，杜氏之葬在西阶之下。请合葬②焉，许之。入宫而不敢哭。武子曰："合葬，非古也③，自周公以来未之有改也。吾许其大④而不许其细⑤，何居？"命之哭。

【注释】

①季武子：鲁公子季友的曾孙季孙夙，谥号"武"。

②合葬：将后死的人附葬在先死的人的墓穴中。

③合葬，非古也：这是季武子为掩饰自己过失而说的漂亮话，其实就是想证明他将杜氏坟墓夷平然后修建住宅的做法是正确的。

④大：指合葬。

⑤细：形容非常细微的哭泣声。

【译文】

季武子修建了一处新住宅，杜家有人就葬在这座新宅的西阶下。杜家又死了人，请求季武子允许将坟墓迁出去合葬，季武子应允了。进了季武子新住宅的杜家人不敢哭泣。季武子说道："合葬并不是自古就有的制度，而是从周公之后才有的，直到今天还没有发生过改变。我既然允许你们从我的住宅里迁坟，却又不让你们哭泣，这又何必呢？"于是，季武子就让杜家人尽情地哭。

四

【原文】

子上[①]之母[②]死而不丧[③]。门人问诸子思[④]曰："昔者子之先君子[⑤]丧出母乎？"曰："然。""子之不使白也丧之，何也？"子思曰："昔者吾先君子无所失道。道隆则从而隆，道污则从而污[⑥]。伋则安能？为伋也妻者，是为白也母；不为伋也妻者，是不为白也母。"故孔氏之不丧出母，自子思始也。

【注释】

①子上：名白，字子上，是孔子的曾孙，子思的儿子。

②母：即"出母"，指被赶出家门的母亲，也就是被迫解除婚姻关系。

③不丧：须不穿孝服。根据规定，若父亲健在，儿子为"出母"穿孝服一年；若父亲已经去世，儿子又是父亲的继承人，就不需要再为"出母"穿孝服了。

④子思：名伋，字子思，是孔子的孙子、子上的父亲。

⑤先君子：对死去先祖的尊称。这里指孔子。

⑥污：减省、减少。

【译文】

子上被赶出家门的母亲去世了，但他并没有为她穿孝服。门人理解不了，就找到子思问道："以前，您的先君子（指孔子）有没有允许儿子为被赶出门的母亲穿孝服呢？"子思回答："穿孝服了。"门人接着问道："为什么您不让您的儿子白为他的母亲穿孝服呢？"子思回答道："以前，我的先君子的做法是正确的，并没有失礼的地方。遵从礼仪的规定，该提高规格的时候就要提高，该降低规格的时候就要降低。我怎么能够与先君子比较呢？我所遵从的原则是：只要还是我的妻子，必定是我儿子白的母亲；既然已经不是我的妻子了，那么自然就不是我儿子白的母亲了。"因此，孔家人从子思开始，不再为被赶出门的母亲穿孝服。

五

【原文】

孔子曰："拜而后稽颡①，颓②乎其顺也。稽颡而后拜，颀③乎其至也。三年之丧，吾从其至者。"

孔子既得合葬于防④，曰："吾闻之，古也墓而不坟⑤。今丘也，东西南北之人也，不可以弗识⑥也。"于是封⑦之，崇⑧四尺。孔子先反。门人后，雨甚。至，孔子问焉，曰："尔来何迟也？"曰："防墓崩。"孔子不应。三。孔子泫然⑨流涕曰："吾闻之，古不修墓。"

【注释】

①稽颡（sǎng）：跪拜时用头碰触地面，是古代居丧答拜时的一种礼仪。

②颓：恭顺。

③颀（kěn）：通“恳”，诚恳。

④防：地名。

⑤墓：墓地。坟：墓地上堆起的土。

⑥识（zhì）：标记，记号。

⑦封：堆土。

⑧崇：高。

⑨泫（xuàn）然：形容眼泪滴落的样子。

【译文】

孔子说：“先行跪拜礼再双手触地、让头抵地，是很符合礼仪顺序的。先以双手触地，以头抵地表达哀思，再行跪拜礼，是最能表达哀思之情的。守丧三年，我遵从后一种表达哀思的方式。”

孔子将父母双亲合葬在一个叫防的地方后，说道：“我听说，古人不在墓上堆土。如今，我是个四处奔走之人，必须得做个标记。”于是，孔子就在墓地上堆了一个高四尺的土堆。孔子先行回到家中，学生们在后面帮着善后，结果天降大雨。学生们回来后，孔子问他们：“为什么你们回来得这么晚呢？”学生们回答：“我们是担心大雨冲毁了您双亲的坟啊！”孔子没有说话。学生们反复说了三次上面的话。这时，孔子才悲伤地流泪说道：“我听说，古人是不在墓上堆土的。”

六

【原文】

孔子哭子路[①]于中庭，有人吊者，而夫子[②]拜之。既哭，进使者而问故。使者曰：“醢[3]之矣。”遂命覆醢。

【注释】

①子路：孔子的学生，名仲由，字子路，后来因卫国内乱而死。

②夫子：这里指孔子。

③醢（hǎi）：古时候的一种酷刑，是将人杀死后剁成肉酱。

【译文】

孔子在庭中间为学生子路哭泣。有人前来吊丧，孔子用拜礼答谢对方。哭完之后，孔子将报丧的人叫过来询问子路死时的状况。报丧的人回答说：“子路已经被乱刀剁成肉酱了。”随后，孔子赶紧命人倒掉了家中的肉酱。

七

【原文】

曾子[1]曰：“朋友之墓有宿草[2]而不哭焉。”

【注释】

①曾子：孔子的学生，名参，字子舆，鲁国人。

②宿草：这里指过了一年时间。

【译文】

曾子说：“待朋友的墓地上长出经年之草后，就不需要再为他哭了。”

八

【原文】

子思曰：“丧三日而殡[1]，凡附于身者必诚[2]，必信[3]，勿之有悔焉耳矣。三月而葬，凡附于棺者[4]，必诚，必信，勿之有悔焉耳矣。丧三年以为极，亡则弗之忘矣，故君子有终身之忧[5]，而无一朝之患，故忌日不乐[6]。”

孔子少孤，不知其墓。殡于五父[7]之衢，人之见之者，皆以为葬也。其慎也，盖殡也。问于郰[8]曼父之母，然后得合葬于防。

邻有丧，舂不相。里有殡，不巷歌。丧冠不緌[9]。

有虞氏瓦棺[10]，夏后氏塈周[11]，殷人棺椁，周人墙、置翣[12]。周人以殷人之棺椁葬长殇[13]，以夏后氏之塈周葬中殇[14]、下殇[15]，以有虞氏之瓦棺葬无服之殇[16]。

夏后氏尚[17]黑，大事[18]敛用昏，戎事乘骊[19]，牲用玄[20]。殷人尚白，大事敛用日中，戎事乘翰[21]，牲用白。周人尚赤，大事敛用日出，戎事乘騵[22]，牲用骍[23]。

【注释】

①殡：死者入殓之后停柩等待安葬的状态。这里说的“三日而殡”，是以大夫、士的礼仪为依据的。

②凡附于身者必诚：对死者进行装扮的衣衾之类，必定会尽心竭力而无所保留。

③必信：必定会遵照礼仪而不会有所违背。

④附于棺者：跟着棺材入土的各种明器。

⑤终身之忧：指终生都会思念自己的双亲。

⑥忌日不乐：在父母去世的那天不演奏乐曲。

⑦五父：指四通八达的路口。

⑧郰（zōu）：地名，位于今山东曲阜东南。

⑨緌（ruí）：古代贵族冠的两侧各有一根丝绳，方便使用者在颔下打结起固定作用，称为“缨”，缨结的下垂部分称为“緌”，主要起装饰作用。

⑩瓦棺：陶制的葬具。

⑪堲（jì）周：将土烧成砖，围在棺的周围，起椁的作用。

⑫翣（shà）：长柄布扇，出殡时由人拿着在灵车两旁作为装饰。

⑬长（zhǎng）殇：十六岁到十九岁期间死去的人。

⑭中殇：十二岁到十五岁期间死去的人。

⑮下殇：八岁到十一岁期间死去的人。

⑯无服之殇：还未长到八岁就死去的人。

⑰尚：崇尚。

⑱大事：丧事。

⑲骊：黑色马。

⑳玄：黑色。

㉑翰：白色马。

㉒骠（yuán）：赤色马。

㉓骍（xīng）：赤色（牛马等）。

【译文】

子思说："人死了三天之后殡殓，凡是跟死者一起入殓的物品，一定要尽心竭力地准备，做到与礼制相符合，不要留下遗憾。入殓三个月后下葬，凡是跟死者一起下葬的东西，一定要尽心竭力地准备，做到与礼制相符合，不要留下遗憾。守丧最长为三年，在父母去世之后，不要将他们忘掉。君子一辈子都会哀悼死去的亲人，但不能损伤身体。因此每到亲人忌日的时候，都不会做欢庆的事情。"

在孔子还很小的时候，他的父亲就去世了，所以他不知道父亲的墓地在什么地方。母亲去世之后，孔子在四通八达的路口举办殡礼。看到的人都认为孔子是在葬母，仔细看过灵柩之后，才知道孔子是在举办殡礼。孔子向郰地人曼父的母亲询问后，才将父母合葬到一个叫"防"的地方。

如果邻居家正在办丧事，那么自己就不会在舂米的时候歌唱。如果邻居家里有停殡等待下葬，那么自己就不会在街巷歌唱。在戴丧冠的时候，不要在系好帽带之后，还让其余的部分下垂。

安葬死者时，有虞氏用陶制的葬具刻作棺材，夏后氏用土烧成砖，砌在棺材的周围，殷人开始在棺材外面加一层椁，周人还在棺椁的外面设墙和翣扇为装饰。周人用殷人的棺椁安葬十六岁至十九岁之间夭折的人，用夏后氏四周砌砖的办法安葬八岁至十五岁之间夭折的人，用有虞氏的陶制葬具安葬还没有满八岁就夭折的人。

夏后氏对黑色倍加推崇，推崇在黄昏时举行入殓仪式，战时乘黑色的马，祭祀时用长黑毛的牲畜。殷人对白色倍加推崇，喜欢中午举行入殓仪式，战时乘白色的马，祭祀时用长白毛的牲畜。周人对赤色倍加推崇，喜欢在太阳出来时举行入殓仪式，战时乘赤色马，祭祀时也用长赤色毛皮的牲畜。

檀弓下

一

【原文】

君之嫡长殇，车①三乘。公②之庶长殇，车一乘。大夫之嫡长殇，车一乘。

【注释】

①车：死人生前坐过的车，这里指运载灵魂的车。

②公：与上“君”，皆指诸侯国君。

【译文】

国君的嫡长子死去了，要用三辆运载灵魂的车送葬。国君的庶子死去了，要用一辆运载灵魂的车送葬。大夫的嫡长子死去了，要用一辆运载灵魂的车送葬。

二

【原文】

君于大夫，将葬，吊于宫；及出，命引之，三步则止，如是者三①，君退。朝②亦如之，哀次③亦如之。

【注释】

①如是者三：这样反复做三次。

②朝：下葬前要先将灵柩运到宗庙举行朝庙礼。

③次：指宗庙之外供吊唁者准备的次舍。

【译文】

国君对于大夫的葬礼，是要在快出殡的时候，前往殡宫吊唁。等到灵车从殡宫出去，国君要命人把灵车拉住，灵车每走三步就要停下，像这样反复进行三次，国君才可以离去。灵车在经过朝庙礼后，国君也会像这样命人拉车停下三次，等到灵车经过庙外为吊唁者准备的次舍时，也是这样做。

三

【原文】

季武子①寝疾，蟜固②不说齐衰而入见曰：“斯道也，将亡矣。士唯公门脱齐衰[3]。”武子曰：“不亦善乎！君子表微。”及其丧也，曾点[4]倚其门而歌。

【注释】

①季武子：鲁国大夫季孙夙，做了很多世公侯，势力很广，所以人们都惧怕他。

②蟜（jiǎo）固：鲁国士人。

③士唯公门脱齐衰：按照礼法，士进入君主宫门时应脱掉孝服。

④曾点：字皙，是曾参的父亲，也是孔子的学生。

【译文】

季武子生病在床，蟜固穿着孝服就直接去他家探望，并和他说：“像我这样做事的，现在快没有了。按照礼法，士只有进入国君的宫门才会把孝服脱掉。”季武子说道：“你这个做法好啊！君子就应该把那些快被遗忘的好传统发扬出去。”季武子死后，曾点倚在自己家的门上歌唱。

四

【原文】

大夫吊[1]，当事而至，则辞焉。吊于人，是日不乐。妇人不越疆而吊人。行吊之日，不饮酒食肉焉。吊于葬者，必执引[2]。若从柩，及圹[3]，皆执绋[4]。

丧[5]，公吊之，必有拜者，虽朋友、州、里[6]、舍人[7]可也。吊曰：“寡君承事[8]。”主人曰：“临。”君遇柩于路，必使人吊之。

大夫之丧，庶子不受吊。

【注释】

①大夫吊：指大夫来吊唁。

②引：指拉灵车的绳子。

③圹（kuàng）：坟墓。

④绋（fú）：下葬时拉棺材入穴的绳子。

⑤丧：指死在外地，没有亲人在身边的丧事。

⑥州、里：这里同指在异地的老乡。

⑦舍人：死者生前一起居住在家舍中的人。

⑧承事：找点活干，这里指帮忙操办丧事。

【译文】

大夫前来吊唁，若主人正在忙着做丧葬事宜分不出身迎接，就应该让负责引路的人与大夫说清楚。吊唁那天，不允许响起音乐。女人不需要越境吊唁别人。吊唁那天，整日不能吃肉喝酒。送葬的时候，要始终帮着拉灵车。若跟从灵车去墓地，那一定要帮着拉绳子下葬。

倘若客死他乡，那个国家的君主前来吊唁，即使旁边没有亲朋，必须要有一个人出来代替死者向君主叩谢，即便是死者的朋友、老乡、所寄居房屋的房客都可以。君主吊唁时要说："我想找点操办丧事的事情做。"代表死者叩谢的人要说："承蒙大驾光临。"君主如果在路上碰到灵车，一定要派随从前去抚慰吊唁。

在大夫的丧礼中，大夫的庶子不能以主人的身份接受抚慰吊唁。

五

【原文】

子张死，曾子有母之丧，齐衰而往哭之。或曰："齐衰不以吊。”曾子曰：“我吊[1]也与哉？”有若之丧，悼公[2]吊焉，子游摈由左[3]。齐谷[4]王姬之丧，鲁庄公为之大功。或曰：“由鲁嫁，故为之服姊妹之服。”或曰：“外祖母也，故为之服。”

【注释】

①吊：安慰死者的亲属。

②悼公：即鲁悼公，姓姬名宁，是鲁哀公的儿子，鲁悼公在任时，鲁国国势更衰微。

③子游摈由左：按照礼法，帮助君主发布命令的人要站在君主的右面，帮助君主吊丧的人要站在君主的左面。

④谷：应为“告”，告诉。

【译文】

子张去世了，曾子由于还在为母亲服丧，所以就直接穿着孝服去哭子张。有人说：“穿着孝服是不能前来吊丧的。”曾子说道：“难道我是去吊唁他吗？”有若死后，鲁悼公前去吊唁，子游一直在鲁悼公的左边帮助他。齐国人前去鲁国通告王姬的丧事，鲁庄公为王姬穿戴重孝。有人说：“王姬是从鲁国嫁出去的，所以庄公为她穿戴重孝。”也有人说：“王姬是鲁庄公的外祖母，所以才为她穿戴重孝。”

六

【原文】

晋献公之丧，秦穆公使人吊公子重耳[1]，且曰：“寡人闻之，亡国恒于斯，得国恒于斯。虽吾子俨然在忧服之中，丧亦不可久也，时亦不可失也，孺子其图之。”以告舅犯[2]。舅犯曰：“孺子其辞焉。丧人无宝，仁亲以为宝。

父死之谓何，又因以为利，而天下其孰能说之？孺子其辞焉。”公子重耳对客曰：“君惠吊亡臣重耳。身丧，父死，不得与于哭泣之哀，以为君忧。父死之谓何，或敢有他志，以辱君义？”稽颡而不拜，哭而起，起而不私。子显[③]以致命于穆公。穆公曰：“仁夫，公子重耳！夫稽颡而不拜，则未为后也，故不成拜[④]。哭而起，则爱父也。起而不私，则远利也。”

【注释】

①公子重耳：即晋文公，姓姬名重耳。

②舅犯：即狐突的儿子狐偃，字子犯，是重耳的舅舅，所以被称为“舅犯”。

③子显：即秦公子絷，字子显，是秦穆公的使者。

④不成拜：按照礼仪，只有嫡子才能做丧主，对前来吊唁的人拜礼致谢，叫作成拜。重耳不是晋献公的嫡子，所以称“不成拜”。

【译文】

晋献公去世后，秦穆公派遣使者去慰问公子重耳，且代穆公传话说：“我听说，丧国的时候常常是在此时，得到君主位置也是在国家为君主举行大丧的时候。虽然你此时正处于特别忧伤的服丧期间，但流亡的时间也不可持续太长，机会也不能这样轻易放过去。请您慎重地考虑一下。”公子重耳和他舅舅说了这件事情。舅舅说：“你最好还是婉拒他们的好意吧！流亡的人没有什么宝贵的东西，只能把仁义德行当作宝贝。父亲去世，是多么让人悲伤的事情啊，倘若你借此机会谋得利益，天下人又有谁会支持你呢？你还是婉辞了吧！”于是公子重耳对使者说道：“承蒙贵国君主前来慰问我这个流亡的臣民。我流亡在外，父亲去世了，不能在父亲灵位前哭泣致哀，还要让贵国君主为我担心。父亲去世是多么悲惨的事情，我怎么会有其他的想法，去玷污贵国君主的大仁大义呢？”说完话后，重耳就哀号大哭不止但不像丧主一样拜谢，边哭边站起来，也不和前来吊唁的宾客私下说话。子显回国后向穆公汇报了这件事。穆公说：“真是个仁义的人啊！他只是磕头而不拜谢，说明他不敢自视为父亲的继承人。哭完以后站起来，说明他非常敬爱他的父亲。站起来后不与宾客说话，表明他不希望利用父亲的丧事为自己谋得利益。”

七

【原文】

穆公①问于子思曰：“为旧君反服②，古与？”子思曰：“古之君子进人以礼，退人以礼，故有旧君反复之礼也。今之君子进人若将加诸膝，退人若将队③诸渊，毋为戎首④，不亦善乎？又何反服之礼之有？”

【注释】

①穆公：即鲁穆公，姓姬名显，战国初期鲁国国君。

②反服：返回故国，为君主服丧。反，通“返”，返回。

③队：通“坠”。

④戎首：带领别国的部队来攻伐自己的国家。

【译文】

鲁穆公向子思问道：“原来的臣子回到故国为故主奔丧，是古来就有的礼仪吗？”子思答道：“古代的君王，按照礼仪进用君子，也会按照礼仪辞退君子，这样才会有故人返回故国为原来的君主服丧。可是现在的君主，在需要人才时就像要把人家抱上膝盖一样亲近，在不需要人的时候，就像要把人推到万丈深渊一样疏远，甚至恨不得把他置于死地。像这样，臣子不带领别国的部队来攻伐故国，不就算是好事了吗？怎么还会回到故国为君主服丧呢？”

王制

《王制》记载的是古代君王治理国家的各种规章制度，内容涉及十分广泛，包括职官、爵禄、祭祀、葬丧、刑罚、建立成邑、选拔官吏、教育等多个方面。从法的思想意识与精神内涵来看，《礼记·王制》篇集中揭示了古代国家诸法之间的联系，对当世及后世意义深远。

一

【原文】

王者之制禄爵，公、侯、伯、子、男，凡[1]五等。诸侯之上大夫卿、下大夫、上士、中士、下士，凡五等。

【注释】

①凡：总共、共有。

【译文】

君王对俸禄、爵位进行了规定，爵包括公、侯、伯、子、男共五个等级。诸侯包括上大夫（或称“卿”）、下大夫、上士、中士、下士共五个等级。

二

【原文】

天子之田方千里，公、侯方百里，伯七十里，子、男五十里。不能五十里者，不合[①]于天子，附于诸侯，曰附庸[②]。天子之三公[③]之田视公、侯，天子之卿视伯，天子之大夫视子、男，天子之元士[④]视附庸。

【注释】

①不合：不能朝会，这里指没有朝见天子的资格。

②附庸：这里指诸侯国的附属小国。

③三公：君王身边最为重要的三位大臣，一说为太师、太傅与太保，一说为司马、司徒与司空。

④元士：即上士。

【译文】

天子拥有一千平方里田地，公爵、侯爵拥有一百平方里田地，伯爵拥有七十平方里田地，子爵与男爵拥有五十平方里田地。田地不足五十平方里的，没有面见天子的资格，只能做诸侯国的附属小国，称为附庸。天子身边的三公所占有的田地与公爵不相上下，天子身边的卿与伯爵不相上下，天子身边的大夫与子爵、男爵不相上下，天子的上士与附庸不相上下。

三

【原文】

制农田百亩。百亩之分，上农夫[①]食[②]九人，其次食八人，其次食七人，其次食六人，下农夫食五人。庶人在官者[3]，其禄以是为差也。诸侯之下士视上农夫，禄足以代其耕也。中士倍下士，上士倍中士，下大夫倍上士。卿四大夫禄，君十卿禄。次国之卿三大夫禄，君十卿禄。小国之卿倍大夫禄，君十卿禄。

【注释】

①上农夫：能够耕种上等农田的农夫。上等田指的是土地肥沃且收成好的田地。

②食（sì）：供养，供给。

③庶人在官者：指在官府服务的普通百姓，这些人是由官吏自行选用的，因为并不是正式的官员，身份并没有变更，因此称为“庶人在官”。

【译文】

制度规定：以一百亩农田为单位。按百亩农田的肥瘠程度划分，一个农夫耕种上等田能够养活九个人，二等田可以养活八个人，三等田能够养活七个人，四等田能够养活六个人，五等田能够养活五个人。为官府服务的普通百姓，所得的俸禄也是按这五个等级来区分的。诸侯国下士的俸禄与耕种上等田地的农夫不相上下，俸禄所得基本与农夫耕种所得相同。中士的俸禄是下士的两倍，上士的俸禄是中士的两倍，下大夫的俸禄是上士的两倍，卿的俸禄是大夫的四倍，君的俸禄是卿的十倍。低一等的诸侯国中，卿的俸禄是大夫的三倍，君的俸禄是卿的十倍。小国的卿的俸禄是大夫的两倍，君的俸禄是卿的十倍。

四

【原文】

凡四海之内九州，州方千里。州建百里之国三十，七十里之国六十，五十里之国百有二十，凡二百一十国。名山大泽不以封[1]。其余以为附庸、间田[2]。八州[3]，州二百一十国。

【注释】

①名山大泽不以封：即“不分封名山大泽”。

②附庸、间（xián）田：除分封给二百一十国之外的其余土地，如果已经被分给了人，便称作大国的“附属”，如果没有分给人，则被称作“间田”，也就是可供调配、还没有固定主人的田地。

③八州：古时称全国为“九州”，所谓“八州”指除天子直辖土地之外的土地。

【译文】

四海之内一共可分为九个州，每个州有一千平方里大。每个州可以建立三十个方圆一百里的国家，六十个方圆七十里的国家，一百二十个方圆五十里的国家，一共可以建立二百一十个国家。各州中的名山大泽不能进行分封。分封之后剩余的土地可作为附庸小国或供调配用的间田。这样的州全天下共有八个，每个州均有二百一十国。

五

【原文】

天子之县内，方百里之国九，七十里之国二十有一，五十里之国六十有三，凡九十三国。名山大泽不以朌[1]，其余以禄士，以为间田。

【注释】

①朌（bān）：赏赐，分封。

【译文】

天子直接管辖的京畿之地包括九个方圆一百里的国家，二十一个方圆七十里的国家，六十三个方圆五十里的国家，一共九十三个国家。京畿范围内的名山湖泊不能分封给臣属，剩余的土地会作为士的俸禄田，或供调配用的间田。

六

【原文】

凡九州，千七百七十三国，天子之元士[1]、诸侯之附庸不与[2]。

【注释】

①元士：周代对在中央辅佐天子者的一种称谓。

②与：参与，这里为计算在内的意思。

【译文】

天下九州一共包含一千七百七十三个国家，天子的元士、诸侯的附庸并不在统计范围之内。

七

【原文】

天子百里之内以共[1]官，千里之内以为御。

【注释】

①共（gōng）：通“供”，供给。

【译文】

天子用都城百里之内的田赋收入，供应王朝官员办公所需的开销，用千里之内的田赋收入，作为天子御用膳食、服饰、车马等的开销。

八

【原文】

千里之外设方伯[1]。五国以为属，属有长；十国以为连，连有帅；三十国以为卒，卒有正；二百一十国以为州，州有伯。八州，八伯，五十六正，百六十八帅，三百三十六长。八伯各以其属属于天子之老[2]二人，分天下以为左右，曰二伯。

【注释】

①方伯：管理一个地方的长官。

②天子之老：这里指上公，也就是天子三公中有德行的人。

【译文】

京畿千里之外的地方设置方伯。将五个国家作为一属，每属设置一个属长；每十个国家为一连，每连设置一个统帅；每三十个国家为一卒，每卒设置一个正；每二百一十个国家为一州，每州设置一个伯爵。天下八州，也就包含八伯，五十六正，一百六十八帅，三百三十六长。八伯各自以所统辖的部属归属于上公二人，将天下分为左、右两部分，因为这两人分别掌管天下八州，所以被尊称为“二伯”。

九

【原文】

千里之内曰甸，千里之外曰采，曰流[1]。

【注释】

①采：九州之内的地方。流：九州之外夷狄等民族居住的地方。

【译文】

京畿周围千里之内的地方称为甸，千里之外的地方称为采，也称为流。

十

【原文】

天子三公、九卿、二十七大夫、八十一元士。

【译文】

天子的属官包括三公、九卿、二十七大夫、八十一元士。

十一

【原文】

大国三卿，皆命[1]于天子，下大夫五人，上士二十七人。次国三卿，二卿命于天子，一卿命于其君，下大夫五人，上士二十七人。小国二卿，皆命于其君，下大夫五人，上士二十七人。

【注释】

①命：被任命、受命。

【译文】

较大的诸侯国设有三卿，这些人都由天子任命，另设五名下大夫，二十七名上士。次一等的诸侯国设置三卿，其中两卿受天子任命，一卿由诸侯国国君任命，另设五名下大夫、二十七名上士。再小一点的诸侯国设两卿，均由诸侯国国君任命，另设五名下大夫、二十七名上士。

十二

【原文】

天子使其大夫为三监，监[①]于方伯之国，国三人。

【注释】

①监：监督，监察。

【译文】

天子派京畿大夫担任三监，对方伯所属的诸侯国进行监察，每国都需要派三个人。

十三

【原文】

凡官民材，必先论[①]之，论辨[②]，然后使之。任事，然后爵之。位定，然后禄之。

【注释】

①论：对个人的才艺德行进行考核。

②辨：辨别。

【译文】

凡是要从庶民中选拔一些人才出来做官，都需要先对他的才艺德行进行考核分辨出高下，然后再委派工作。对于胜任工作的人才先授予官爵，然后再发放俸禄。

十四

【原文】

爵人于朝，与士共之。刑人于市，与众弃之。是故公家不畜①刑人，大夫弗养，士遇之涂②弗与言也。屏③之四方，唯其所之，不及以政，亦弗故生也。

【注释】

①畜：养，与“大夫弗养”中的“养”互文。

②涂：同“途”。

③屏（bǐng）：摒弃。

【译文】

授予爵位的时候，一定要当着士人的面公开进行。对人施以刑罚要光明正大地进行，以表示要与众人一起摒弃他。因此官家不能收容犯罪的人，大夫士人也不能供养犯罪的人，在路上遇见也不要与这样的人谈话。将他驱逐出境，让他到四方流浪，剥夺他参与政事的权利，也不想让他活在世上。

十五

【原文】

诸侯之于天子也，比年一小聘①，三年一大聘②，五年一朝。

【注释】

①小聘：古代礼节，指诸侯派遣大夫去朝见天子。

②大聘：古代礼节，指诸侯派遣卿去朝见天子。

【译文】

诸侯对待天子，每年会委派大夫为代表去问候天子，每三年会派遣卿为代表去问候天子，每五年会亲自朝见天子。

十六

【原文】

天子五年一巡守[①]。岁二月，东巡守，至于岱宗[②]，柴，而望祀山川。觐[③]诸侯，问百年者，就见之。命大师陈诗，以观民风。命市纳贾[④]，以观民之所好恶，志淫好辟[⑤]。命典礼考时月，定日，同律、礼、乐、制度、衣服，正之。山川神祇有不举者为不敬，不敬者君削以地；宗庙有不顺[⑥]者为不孝，不孝者君绌以爵；变礼易乐者为不从，不从者君流；革制度衣服者为畔，畔者君讨。有功德于民者，加地进律。五月，南巡守，至于南岳，如东巡守之礼。八月，西巡守，至于西岳，如南巡守之礼。十有一月，北巡守，至于北岳，如西巡守之礼。归假[⑦]于祖祢[⑧]，用特。

【注释】

①巡守（shòu）：指天子巡游天下。

②岱宗：东岳泰山。

③觐：古代礼仪，指诸侯朝见天子。

④市：掌管市场买卖的官员。贾（jià）：同“价”，指物价。

⑤辟：偏邪不正。

⑥不顺：指宗庙中牌位的排序不当或祭祀时不按照时序。

⑦假（gé）：至。

⑧祖祢（nǐ）：泛指宗庙。祖，太祖、高祖、曾祖、祖父等先人的宗庙。祢，先父的宗庙。

【译文】

天子每五年会巡游一次天下。二月开始向东巡游，到达泰山，架起柴草祭品，用此方式祭祀全国的名山大川。接受东方诸侯的朝见，询问百岁老人的情况，到他的住处去看望他。命令负责音乐的太师陈读搜集到的诗歌，以观察当地的民俗风情。命令负责市场管理的官员上报物价，从中观察百姓的好恶，了解他们是否喜好奢华。命令负责典礼的官员，对当地的季节、月份、日时进行校正，统一法律、礼数、乐律、制度，甚至衣服的样式，标准有偏差的要加以改正。如果不举办对山川神祇的祭拜仪式便可以视为不敬，对于不敬的国君，天子就要削夺他的封地。如果宗庙中牌位摆放排序不当或祭祀不按照时序进行便可以视为不孝，对不孝的人，天子将贬降他的爵位。随意变动礼数、乐律的人可以视为不从，对于不从的人，天子就要将他放逐。对政治制度、衣服样式进行变革的可以视为叛逆，对于叛逆的人，天子就要对他进行讨伐。有功德于人民的国君，天子将酌情加封土地或者赏赐田禄。五月天子向南巡游，到达南岳，礼仪与东岳时相同。八月，天子向西巡游，到达西岳，礼仪与南巡相同。十一月，天子向北巡游，到达北岳，礼仪与西巡相同。巡游归来后，天子要在宗庙中用一整头牲畜作为祭品进行祭拜。

十七

【原文】

六礼：冠、昏、丧、祭、乡、相见。七教：父子、兄弟、夫妇、君臣、长幼、朋友、宾客。八政：饮食、衣服、事为、异别[1]、度、量、数、制。

【注释】

①异别：这里指五方用器各不相同。

【译文】

六礼：主要包括冠礼、婚礼、丧礼、祭礼、乡饮酒礼以及乡射礼、相见礼。七教：主要包括父子、兄弟、夫妇、君臣、长幼、朋友、宾客这些人际交往方面的教育。八政：主要包括饮食、衣服、技艺百工、各种用器、长度单位、容量单位、计数单位、物品规格八个方面的规章制度。

文王世子

文王世子指的是周文王在位时期，就将周武王立为自己的继承人。从那时起，文王世子制度从无到有并延续下来。

一

【原文】

文王之为世子，朝于王季[1]日三。鸡初鸣而衣服，至于寝门外，问内竖[2]之御者[3]曰："今日安否？何如？"内竖曰："安。"文王乃喜。及日中又至，亦如之。及莫[4]又至，亦如之。其有不安节[5]，则内竖以告文王，文王色忧，行不能正履[6]。王季复膳，然后亦复初。食上，必在视寒暖之节[7]。食下，问所膳，命膳宰曰："末有原。"应曰："诺。"然后退。

武王帅而行之，不敢有加[8]焉。文王有疾，武王不说冠带而养。文王一饭，亦一饭；文王再饭，亦再饭。旬有二日乃间。

文王谓武王曰："女何梦矣？"武王对曰："梦帝与我九龄。"文王曰："女以为何也？"武王曰："西方有九国焉，君王其终抚诸。"文王曰："非也。古者谓年龄，齿亦龄也。我百，尔九十，吾与尔三焉。"文王九十七乃终。武王九十三而终。

成王幼，不能莅阼。周公相，践阼而治。抗世子法于伯禽，欲令成王之知父子、君臣、长幼之道也。成王有过，则挞[9]伯禽，所以示成王世子之道也。

《文王之为世子》也。

【注释】

①季：周文王的父亲姓姬名历，季为排行，被尊称为"公季""王季"。

②内竖：上古时代在宫中负责传达王令的小官，后来逐渐变成宦官。

③御者：正在当值的人。

④莫：同"暮"，指夜幕降临。

⑤安节：舒适，舒服。

⑥正履：正常走路。

⑦节：程度。

⑧不敢有加：不敢有所逾越。

⑨挞（tà）：用鞭子打。

【译文】

文王还是太子的时候，每天要给他的父王请三次安。鸡叫第一遍的时候，文王便穿好衣服，来到父王寝宫门外，询问值班的内庭小臣："今天父王一切安好吗？"内庭小臣答："一切安好。"文王便会很高兴。中午时分，文王再次来到父亲寝宫门外，像早晨那样问安。傍晚时分，文王又会来到父亲寝宫门外，像早晨那样问安。如果父王身体不佳，内庭小臣便会向文王禀告，文王就会面露忧色，连正常走路都不会了。等到父王的饮食恢复了正常，文王的神态也会随之恢复。每顿饭菜端上去的时候，文王一定要亲自查看饭菜的冷热。饭菜撤下来的时候，文王一定会询问吃得怎样，同时嘱咐掌厨官员："吃剩的饭菜就不要再端上去了。"掌厨官员回答："是。"文王才安心地离开。

武王将文王当太子时的言行当作自己的榜样，不敢希望能做得更好。如果文王生了病，武王便不脱冠、衣不解带地日夜照料。文王的饮食少了，武王也会因此减少饮食；文王吃得多了，武王的饮食也会跟着增加。这样过了十二天之后，文王的病才完全好。

文王向武王问道："你梦到过什么？"武王答道："我曾经梦到天帝将九颗牙齿交给了我。"文王说："你觉得这在暗示什么呢？"武王说："西方还有九个国家没有归顺，大概是暗示您将最终占有它们吧！"文王说："你理解错了。古时候将年称为龄，齿也称为龄。我的寿命为一百，你的寿命是九十，我分给你三年吧！"于是，文王活到九十七岁那年去世，武王活到九十三岁去世。

武王死的时候，成王很年幼，还不能即位履行天子的权力。当时周公为相，代替成王行使天子职权。周公照搬教育太子的那套规矩来要求自己的儿子伯禽，目的便是让成王通过伯禽明白父子、君臣、长幼的道理。如果成王有做不到的地方，周公便会用鞭子打伯禽，让成王明白自己应该怎样当个太子。

以上便是《文王之为世子》篇。

二

【原文】

凡学①世子，及学士，必时。春夏学干戈②，秋冬学羽籥③，皆于东序。小乐正学干，大胥赞之；籥师学戈④，籥师丞赞之。胥鼓《南》⑤。春诵，夏弦，大师诏之。瞽宗⑥秋学礼，执礼者诏之。冬读《书》，典《书》者诏之。礼在瞽宗，《书》在上庠。

凡祭与养老乞言⑦、合语⑧之礼，皆小乐正诏之于东序。大乐正学舞干戚，语说、命乞言，皆大乐正授数，大司成论说在东序。

【注释】

①学（jiào）：教育，教授，后作“教”。

②干戈：武舞所用的道具。小舞用干戈，大舞用干戚。

③羽籥（yuè）：舞器和乐具。

④戈：戈为“龠”字。

⑤《南》：乐曲名。

⑥瞽（gǔ）宗：商代对大学的称谓，主要负责教授贵族子弟学习礼乐。

⑦乞言：在老者面前乞求善言。

⑧合语：指与君臣、父子、长幼之道相合的言辞。

【译文】

凡是要教育太子或者学士，必须在不同的季节安排不同的内容。春季和夏季教手执干戈的武舞，秋季和冬季则教手执羽籥的文舞，地点均在东序里。小乐正负责教授干的用法，大胥负责协助。籥师负责教授戈的用法，籥师丞负责协助。大胥负责以鼓声为节奏教授《南》乐。春天适合吟诵《诗》，夏天适合练习弹琴，均由太师来教授。秋季在瞽宗学礼，由主管礼的官员来教授。冬季适合读《书》，由精通《书》的官员来教授。教授礼的地点是瞽宗，教《书》的地方是在上庠。

凡是与祭祀、养老有关而请老人发表看法，讲述与君臣、父子、长幼相合的礼节，均是在东序由小乐正负责教导。大乐正负责教导手执干戚的武舞。有关请老人发表看法、讲述与君臣、父子、长幼相合的礼节，均是由大乐正教授其中的义理，然后由大司成评说，地点也是在东序。

三

【原文】

《世子》之《记》曰："朝夕至于大寝之门外，问于内竖曰：'今日安否？何如？'内竖曰：'今日安。'世子乃有喜色。其有不安节，则内竖以告世子，世子色忧，不满容①。内竖言'复初'，然后亦复初。朝夕之食上，世子必在，视寒暖之节。食下，问所膳。羞，必知所进②，以命膳宰，然后退。若内竖言疾，则世子亲齐，玄③而养。膳宰之馔[4]，必敬视之；疾之药，必亲尝之。尝馔善，则世子亦能食；尝馔寡，则世子亦不能饱。以至于复初，然后亦复初。”

【注释】

①色忧：脸上现出忧虑的神情。不满容：没有布满整个脸庞。

②必知所进：事先拟好下次该做的膳食。

③玄：穿戴着黑色的斋戒衣冠。

④馔（zhuàn）：食物、饮食。

【译文】

《世子·记》上面说：身为太子，应该早晚去父王的寝宫门外，向内庭小臣询问：“父王今日的身体是否安好？”内庭小臣说：“今天很好。”听到这样的回答，太子才面露喜色。如果父王的身体不舒服，内庭小臣应当向太子汇报，太子会面露忧色，显出难过的表情。内庭小臣报告“王已安康”，然后太子才恢复平日的神情。早晚的饭菜端上来之后，太子一定要先查看一下饭菜的冷热是否合适。饭菜撤下去之后，太子要询问父王吃得如何。对于父王的饭菜，太子一定要知道父王的胃口，安排好下顿该吃什么，要向掌厨的官员交代清楚，之后才可以离开。一旦内庭小臣汇报说父王得病，太子就必须亲自斋戒祈祷，戴着黑色的冠，穿上黑色的礼服，精心在旁边伺候。厨房送来的饭菜，一定要认真检查；要吃的药，一定要自己先尝一尝。如果父王能吃下更多的东西，那么太子也能随着多吃；如果父王吃的食物减少，那么太子也不能吃饱。只有父王恢复健康了，太子才能恢复如初。

礼运

“运”即运行，讲的是礼的源流以及运行、运用，因此本篇被称为《礼运》。本篇通过孔子答偃问的形式，对五帝三王之间“大同”“小康”的治世局面进行了讨论，展现了“礼”从起源、发展、演变到完善的全过程，对圣王制礼的原则进行了探讨，对周朝末期礼崩乐坏的局面进行了批评，对天子诸侯违礼失政进行了批判，深入揭示了礼在治国安民方面的重要地位和角色，同时也对人与天地、阴阳、鬼神、五行之间的密切关系进行了强调。

一

【原文】

昔仲尼与于蜡宾①，事毕，出游于观②之上，喟③然而叹。仲尼之叹，盖叹鲁也。言偃④在侧曰：“君子何叹？”孔子曰：“大道之行也，与三代之英⑤，丘未之逮也，而有志⑥焉。大道之行也，天下为公，选贤与⑦能，讲信修睦。故人不独亲其亲，不独子其子，使老有所终，壮有所用，幼有所长，矜⑧寡孤独废疾者，皆有所养；男有分，女有归；货恶其弃于地也，不必藏于己；力恶其不出于身也，不必为己。是故谋闭而不兴，盗窃乱贼而不作，故户外而不闭，是谓大同。”

【注释】

①蜡（zhà）宾：蜡祭的助祭者。蜡，古代的一种祭祀，在每年的十二月举行，合祭百神。

②观（guàn）：也称阙或者台。

③喟（kuì）：叹气的样子。

④言偃：孔子的弟子，字子游，春秋末期吴国人，为“孔门十哲”之一，与子夏、子张齐名。

⑤英：才德出众的人，这里指下文所说的禹、汤、文、武、成王、周公等。

⑥志：记载。

⑦与（jǔ）：通“举”，举荐。

⑧矜（guān）：通“鳏”，指丧妻或无妻的男子。

【译文】

以前仲尼作为参加鲁国蜡祭的助祭者，在祭祀完毕之后，外出游览，登上门楼，情不自禁地发出叹息。仲尼的叹息，大抵是为鲁国而发的。当时子游站在他的身旁，就问道：“先生为何叹气呢？”孔子说：“大道推行的时期，与三代（夏、商、周）英明君王在位时，我都没有赶上，不过古书记载了当时的情况。大道施行的时期，天下是百姓公有的。选拔有德行的贤人，举荐有才华的能人作为领袖，人们都讲究诚信，修行和睦。因此人民不仅孝顺自己的双亲，也不仅疼爱自己的孩子，而是让老人能够颐养天年，让身体强壮的年轻人能够有所用，让年幼的孩子可以健康成长，鳏夫或者寡妇、孤儿或者无后者、残疾人或者生病的人都可以得到照料和供养。让男子都各有职业，让女子出嫁都能正当其时；人们厌恶财货遭抛弃，但不是为了独自享用；憎恶在共同劳动中不出力或者少出力的行为，但不是希望别人为自己的私利而劳动。因此，阴谋无法施展，盗窃作乱的现象都没有了，每个人外出时都不用关自家的大门，这便是大同社会。”

二

【原文】

“今大道既隐，天下为家，各亲其亲，各子其子，货力为己，大人世及[1]以为礼，城郭沟池以为固，礼义以为纪，以正君臣，以笃父子，以睦兄弟，以和夫妇，以设制度，以立田里，以贤勇知，以功为己，故谋用是作，而兵由此起。禹、汤、文、武、成王、周公，由此其选也。此六君子者，未有不谨于礼者也，以著其义，以考其信，著有过，刑仁讲让，示民有常。如有不由[2]此者，在势者去，众以为殃。是谓小康。”

【注释】

①世及：即世袭制度。诸侯的传位，父子相传称为世，兄弟相传称为及。

②由：用。

【译文】

“如今大道已经非常衰微，天下只为君主一家所有，人们只孝敬自己的双亲，疼爱自己的儿女，财货物力也只为了自己，把诸侯世袭的制度当成礼制，用坚固的城墙和护城河作为防守，将礼义当成纲领，以此来端正君臣之间的关系，加深父子之间的关系，让兄弟之间的关系变得更加和睦，让夫妻之间的关系变得更加和美，设立相应的规章制度，对田地宅里进行划分，让勇士与智者得到尊重，用成就功业满足自己，所以阴谋也就产生了，战争也因此而爆发。禹、汤、文、武、成王、周公，都是用礼义来治理国家的英才。这六位君子，都是谨慎地推行礼制，通过礼制彰显道义，树立个人威信，明察是非对错，用仁爱的原则处理人与人之间的关系并倡导互相谦让，向人们宣布治国中经常用到的法令。如果有不遵守礼义规范的，就会被推翻，百姓会认为是个祸害。这便是小康社会。”

三

【原文】

言偃复问曰：“如此乎，礼之急[①]也？”孔子曰：“夫礼，先王以承[②]天之道，以治人之情，故失之者死，得之者生。《诗》曰：‘相[③]鼠有体，人而无礼[④]；人而无礼，胡不遄[⑤]死！’是故夫礼，必本于天，殽[⑥]于地，列于鬼神，达于丧、祭、射、御、冠、昏、朝、聘。故圣人以礼示之，故天下国家可得而正也。”

【注释】

①急：急需，急用。

②承：承奉，承接。

③相（xiàng）：观察。

④礼：礼貌。

⑤遄（chuán）：迅速。

⑥殽（xiào）：通“效”，效法。

【译文】

子游再次问道：“礼，真的如此急需吗？”孔子说：“礼是先代君王用来承接自然法则的，用来控制人的性情的，因此如果失去它便会死去，遵从它才能得以生存。《诗经》中说：‘看那只老鼠还有个身体，人却没有应该具备的礼。人没有应该具备的礼，还不如快点死去呢！’所以，礼必须依循天道，效法人情，连接鬼神，在丧事、祭祀、射箭、驾御、冠礼、婚嫁、朝觐、聘问等礼仪上有所表现。因此圣人都用礼来影响民众，这样才能治理好天下国家。”

四

【原文】

言偃复问曰：“夫子之极言[①]礼也，可得而闻与？”孔子曰：“我欲观夏道，是故之杞，而不足征也，吾得《夏时》焉。我欲观殷道，是故之宋，而不足征[②]也，吾得《坤乾》[③]焉。《坤乾》之义[④]，《夏时》之等[⑤]，吾以是观之。”

【注释】

①极言：尽力诉说。

②征：同“证”，证明，验证。

③《坤乾》：殷时所著的以阴阳理论为基础的卜筮书。

④义：功用，这里指阴阳的功用。

⑤等：等级，等次。

【译文】

子游又向孔子问道：“老师如此尽力地推崇礼，我可以有幸听听吗？”孔子说：“我曾经想了解夏朝的礼，所以跑到了杞国，却因为年代久远无法验证了，只得到了他们的历书《夏时》。我想要了解一下殷朝的礼，因此跑到了宋国，同样因年代久远不足以信得不到验证，只得到了他们的卜筮书《坤乾》。我从《坤乾》中体悟到事物变化之理，从《夏时》中看到了四时运转之序，看到了这两个时代礼的演变、周转过程。”

五

【原文】

夫礼之初始诸饮食。其燔黍捭豚①，污尊而抔②饮，蒉桴③而土鼓，犹若④可以致其敬于鬼神。及其死也，升屋而号告曰："皋⑤某复。"然后饭腥而苴孰⑥。故天望⑦而地藏⑧也，体魄⑨则降，知气在上。故死者北首，生者南乡，皆从其初。

【注释】

①燔黍捭豚（fán shǔ bǎi tún）：指上古时期对食物进行简单加工的一种流程。

②污（wā）尊：在地上挖作酒樽。污，凿地，挖地。抔（póu）：用手捧东西状。

③蒉桴（kuài fú）：一说用土块做鼓槌，一说用草做鼓槌。蒉，土块。桴，鼓槌。

④犹若：好像。

⑤皋（gāo）：用长而慢的声音呼唤。

⑥苴（jū）孰：用包裹起来的熟食送死者出丧。苴，包裹。

⑦天望：上古时代的一种招魂仪式，是望着天招魂。

⑧地藏：不用棺椁而直接把尸体埋进土里。

⑨体魄：身体。

【译文】

礼最开始的时候产生于饮食行为中。古时候的人将淘洗干净的黍米和撕碎的猪肉放在烧石上面烤熟，在地上挖坑用作水杯，用手捧着喝。用土块做鼓槌敲打土做的鼓，以此来表达敬拜鬼神之情。当他们死的时候，活着的人就登上屋顶对着天空大声呼喊："啊，你快归来吧！"然后用生米为死者办饭含之礼，并在下葬的时候给死者包裹一些熟食。因此招魂的时候要望着天并将尸体埋在土里，虽然被埋在地下，但是灵魂在天上。北方象征阴，因此死者的头要朝向北面；南方象征阳，因此活着的人要朝向南面居住。这些都是根据初民的习俗形成的。

六

【原文】

昔者先王未有宫室，冬则居营窟，夏则居橧巢①。未有火化②，食草木之实，鸟兽之肉，饮其血，茹③其毛。未有麻丝，衣其羽皮。后圣有作，然后修火之利，范④金，合土，以为台榭、宫室、牖⑤户，以炮，以燔，以亨⑥，以炙，以为醴酪⑦。治其麻丝以为布帛，以养生送死，以事鬼神上帝：皆从其朔。

【注释】

①橧（zēng）巢：将柴火堆积起来作为巢居住。

②火化：用火将食物烤熟。

③茹：吃。

④范：名词活用为动词，用模子浇筑。

⑤牖（yǒu）：窗户。

⑥亨：同“烹”，烹制煮制。

⑦醴（lǐ）：酒名。酪（lào）：醋。

【译文】

先代君王都没有宫殿房屋，冬天就居住在四周用土堆砌而成的土窑里，夏天便居住在用柴火堆积而成的巢穴里。当时还不知道如何用火烹煮食物，都是生吃植物的果实，鸟畜的肉，饮动物的血，甚至将动物的毛都吃下去。当时还没有麻丝，穿的都是羽毛和兽皮。后来有圣人，教人用火，筹造用器，和泥将土烧制成砖瓦，用来建造台榭、宫室与门窗。同时人们学会了用火来烧烤，煮东西吃，酿造醴酒和醋，煮染麻丝织造麻布或者丝绸，用来养生送死，祭祀鬼神上帝：所有这些都是从最初圣人教人们用火开始的。

七

【原文】

孔子曰："於呼①，哀哉！我观周道，幽、厉伤②之。吾舍鲁何适矣！鲁之郊、禘③，非礼也。周公其衰④矣。杞之郊也，禹也；宋之郊也，契也：是天子之事守⑤也。故天子祭天地，诸侯祭社稷。"

【注释】

①於（wū）呼：同"呜呼"，感叹词。

②伤：败落，损坏。

③郊：天子在南郊祭天。禘（dì）：嫡系的子孙在太庙祭祀始祖。鲁国既不是天子也不是嫡子之国，因此举办郊禘之祭是逾越天子的行为。

④衰：衰落，衰败。

⑤事守：做分内的事情。

【译文】

孔子说："呜呼，可悲啊！我考察了周的治理之道，从周幽王、周厉王时期礼就开始衰落了。我离开鲁国还能到什么地方去呢？可是，鲁国如今举办的郊禘之祭，并不合乎周礼。周公所制定的礼仪开始衰微了！杞国人祭天是祭祀大禹，宋国人祭天是祭祀契：这是从前天子应遵守的祭礼，因为天子可以祭拜天地，诸侯只能祭拜本国的社稷之神。”

八

【原文】

祝嘏①莫敢易其常古，是谓大假②。祝嘏辞说，藏于宗、祝、巫、史，非礼也，是谓幽国③。盏、斝④及尸君，非礼也，是谓僭君。冕、弁⑤、兵革，藏于私家，非礼也，是谓胁君。大夫具官，祭器不假，声乐皆具，非礼也，是谓乱国⑥。故仕于公曰臣，仕于家曰仆。三年之丧，与新有昏者，期不使⑦。以衰裳入朝，与家仆杂居齐齿，非礼也，是谓君与臣同国。故天子有田以处其子孙，诸侯有国以处其子孙，大夫有采⑧以处其子孙，是谓制度。故天子适诸侯，必舍其祖庙，而不以礼籍入，是谓天子坏法乱纪。诸侯非问疾吊丧，而入诸臣之家，是谓君臣为谑。

【注释】

①嘏（gǔ）：古时祭祀时，执事人（祝）为受祭者（尸）向主人致以祝福。

②假：当作“嘏”，福也。

③幽国：典礼不明的国家。

④盏、斝（jiǎ）：君主所用的酒器。

⑤冕、弁（biàn）：皆为古代男子冠名，吉礼之服用冕，通常礼服用弁。

⑥乱国：纲纪混乱的国家。

⑦期不使：一年之内，不因为公事而使用。

⑧采：古代卿大夫受封而得的土地。

【译文】

祭祀的祝词不敢变更旧有的常法，这是礼中的大礼。祭祀的祝词藏在宗伯、太祝、巫官、史官的家中，这是不符合礼节的，这被称为是典礼不明的国家。玉盏、玉斝是先王重要的器皿，诸侯用来献给亡灵，这是不合乎礼节的，叫作越礼之君。国君的衮冕、皮弁与保卫国君用的兵器、甲衣，收藏在私人家中，这是不合乎礼节的，因此，被视为是威胁国君。大夫家中有完备的执事官员，祭祀用的器皿完备不必借用，乐器全都具备，这也是不合乎礼节的，因此这被视为纲纪混乱的国家。为国君效劳的官员称为臣，为大夫效力的官员称为仆。服三年之丧的臣和有新婚的臣，一年之内国君不派他差事，在此期间，如果臣穿着丧服入朝，或者跟着家仆平等地杂居在一起，这些都是不合乎礼节的。将朝廷当成自己的家，这叫君臣共国。因此天子有田地来安置自己的子孙后代，诸侯有国土来安置他的子孙们，大夫有余地来安置他的子孙们，这叫作制度。因而当天子到诸侯国去，一定要在诸侯的祖庙中住宿，如果不按照典章礼制进入祖庙，就被视为天子破坏法纪。诸侯如果不是去探望病人或者吊丧，而随便进入臣子家中，就被视为诸侯与臣子之间相互戏谑。

九

【原文】

何谓人情？喜、怒、哀、惧、爱、恶、欲，七者弗学而能。何谓人义？父慈、子孝、兄良[①]、弟弟、夫义、妇听、长惠、幼顺、君仁、臣忠十者，谓之人义。讲信修睦，谓之人利。争夺相杀，谓之人患。故圣人之所以治人七情，修十义，讲信修睦，尚辞让，去争夺，舍礼何以治之？饮食男女，人之大欲存焉。死亡贫苦，人之大恶存焉。故欲恶者，心之大端也。人藏其心，不可测度也。美恶皆在其心，不见其色也。欲一以穷之，舍礼何以哉？

【注释】

①良：善良。

【译文】

什么是人情呢？喜、怒、哀、惧、爱、恶、欲，这“七情”不用学习就会。什么是义理呢？做父亲的慈爱，做儿女的孝顺，做兄长的善良，做弟弟的要尊重兄长，做丈夫的要守义，做妻子的要从顺，年长的关心年幼的，年幼的听从年长的，国君要仁慈，大臣要忠心，这十个方面就是做人的义理。讲究诚实，注重亲睦，叫作人利；互相争夺厮杀，称为人患。因此圣人应该协调人们的七情、十义，让人讲究诚信，加强彼此友好，互相推崇谦让，放弃争夺，如果舍弃礼制，用什么来协调呢？饮食男女，人们最强的欲望就在其中。死亡贫苦，人们最厌恶的事情就在其中。因此，欲望与畏惧便是人们心理的主要内容。人们隐藏自己的内心，让其他人无法猜测。喜欢和憎恶均隐藏在心里，而不在神态上表现出来。要想真正了解人们的心理，除了用礼还能用什么呢？

十

【原文】

故礼之不同也，不丰也，不杀也，所以持情而合危也。故圣王所以顺：山者不使居川，不使渚者居中原，而弗敝也；用水、火、金、木，饮食必时；合男女、颁爵位，必当年德，用民必顺。故无水、旱、昆虫之灾，民无凶、饥、妖孽之疾。故天不爱其道，地不爱其宝，人不爱其情。故天降膏露①，地出醴泉，山出器车，河出马图，凤凰、麒麟皆在郊棷②，龟、龙在宫沼，其余鸟兽之卵胎，皆可俯而窥也。则是无故，先王能修礼以达义，体信以达顺，故此顺之实也。

【注释】

①膏露：雨露。

②郊棷（sǒu）：郊外的草泽地区。

【译文】

礼是有所不同的，既不可增加，也不可减少，用来维持贵贱不同的人情，而保持自我警惕之心。因此圣明的君王可以做到让天下和顺：居住在山区的民众不让他们到河边去居住，居住在水中小岛的民众不让他们到中原去居住，不去破坏民众的生活习性；运用水、火、金、木等生活材料，饮食必定要顺应时节；男女的婚姻、颁授爵位，都必须与人们的年纪与德行相匹配，征用民力一定要顺应农时。因此国家才不会遭受洪涝、干旱、昆虫等灾害，百姓也不会遭受灾荒、饥饿以及妖孽等危害。所以天不会将育民之道隐藏，地也不会将供养百姓的宝物隐藏，人也不会将真实的情况隐藏。所以天会降下雨露，地会涌出甘泉，山能够产出造车的材料，黄河中有龙马背负着《图》出现，凤凰、麒麟都会在郊区的沼泽中出现，在宫中的水池中畜养着龟和龙，其他各种鸟的卵和已经育崽的野兽俯首便可以看见。做到这样没有其他原因，只是因为先王加强了礼仪而通达了义理，体现了诚信而通达了和顺，因此才会有这种天下大顺的结果。

礼器

本篇与《礼运》篇互为表里。到底什么是礼之器呢？《乐记》中认为：“簠簋俎豆，制度文章，礼之器也。”礼作为器在使用的时候，要根据天时、地貌、人情等具体对待。人作为礼的推行者和遵守者，必须具备诚信忠义的美德，不然礼作为器的作用也将被影响。

一

【原文】

礼器，是故大备。大备，盛德也。礼释回①，增美质，措则正，施则行。其在人也，如竹箭之有筠②也，如松柏之有心也，二者居天下之大端矣，故贯四时而不改柯易叶。故君子有礼，则外谐而内无怨，故物无不怀仁，鬼神飨德。

【注释】

①释回：摒除邪念。释，除。回，邪。

②竹箭之有筠（yún）：竹子外面有青皮。箭，小竹子。筠，竹子外面的青皮。

【译文】

礼能让人修养成器，因此能够让人变得更加完备。完备，是说人可以具备完美的德行。礼能够让人摒除邪念，增加美好的品质，言行举止更符合正道，美德得以施行。对于人来说，礼就像竹子外面的青皮，松柏的树心，表皮与树心是竹子和松柏能够在天下生长的最基本条件，因此可以在经历四季之后依然不改变枝叶的颜色。所以，君子有礼，能够让外人和谐而家人之间没有抱怨和遗憾，人们全部归心于他的仁德，鬼神也愿意去享用这样有德之人的祭祀。

二

【原文】

礼也者，合于天时，设[1]于地财，顺于鬼神，合于人心，理万物者也。是故天时有生也，地理有宜也，人官有能也，物曲有利也。故天不生，地不养，君子不以为礼，鬼神弗飨也。居山以鱼鳖为礼，居泽以鹿豖为礼，君子谓之不知礼。故必举其定国之数，以为礼之大经。礼之大伦，以地广狭；礼之薄厚，与年之上下。是故年虽大杀，众不匡[2]惧，则上之制礼也，节矣。

【注释】

①设：合。

②匡：通“恇”，害怕，胆怯。

【译文】

礼，应该符合上天的时令，与地的物产相配合，与鬼神的意志相顺应，更要符合人的心理，这样才能治理万物。因此在不同的时令会有不同的生物，在不同的土地上会有不同的产物，人也因为职能不同而各有所能，物因为有不同品种而有各自的用途。因此在时令中不适合生长的东西，在地理条件不适合培育的物产，君子不推行礼，鬼神也不会去享用。住在山区却要用鱼鳖作为礼物，住在水边却要用鹿和猪作为礼物，君子认为这些人不懂礼。因此，根据本国的情况来确定能出产的物品有多少，将此作为推行礼的基本条件。礼的大小类别，根据诸侯所拥有土地的大小来确定；礼物的薄厚，根据一年收成的好坏来确定，这样即使收成欠佳，百姓也不用担心不能推行礼，因为先王在制定礼的时候是有所变通的。

三

【原文】

礼，时为大，顺次之，体次之，宜次之，称次之。尧授舜，舜授禹，汤放桀，武王伐纣，时也。《诗》云："匪革①其犹②，聿③追来孝。"天地之祭，宗庙之事，父子之道，君臣之义，伦④也。社稷、山川之事，鬼神之祭，体也。丧、祭之用，宾客之交，义也。羔、豚而祭，百官皆足；大牢而祭，不必有余，此之谓称也。诸侯以龟为宝，以圭为瑞。家不宝龟，不藏圭，不台门⑤，言有称也。

【注释】

①革：急。

②犹：道，谋略。

③聿（yù）：陈述。

④伦：顺。

⑤台门：大门外两侧筑土为基，在这个地基上盖起的屋子被称为台门。

【译文】

礼，以顺应天时最为重要，其次要顺应伦理，其次是体现区别，其次是要适宜，其次便是要相匹配。尧将君位传给了舜，舜又将君位传给了禹，商汤将桀放逐，武王讨伐商纣，均是顺应天时而行。《诗经》中说：“不是为了急迫施行自己的谋略，追述祖业而施行孝道。”先要祭祀天地，然后才能祭拜祖先，遵循父子关系的道理，君臣之间的大义，这叫作顺应伦理的顺序。社稷、山川的祭祀之礼有所不同，鬼神之间的祭祀有所差别，这叫作体现区别。丧祭与祭礼的费用，与宾客之间交往的开支都必须根据需求而定，这叫作适宜。有的用小羊、有的用猪来祭祀，各级官员所使用的祭品都充足；或者合用牛、羊、猪三牲来祭祀，不必有多余的祭品，这叫作祭礼与祭品相匹配。诸侯将龟甲作为宝物，将圭玉作为祥瑞。大夫之家不得拥有宝物，也不能藏有圭玉，不建造台门，这是与自己的身份地位相匹配。

四

【原文】

孔子曰：“礼不可不省也。礼不同，不丰[1]，不杀。”此之谓也，盖言称也。

【注释】

①丰：增加。

【译文】

孔子说：“施行礼的时候不能不注意。礼是不同的，不能够增加，也不可以减少。”这里说的便是这个意思吧，即礼物要与所行的礼相匹配吧！

五

【原文】

古之圣人，内之为尊，外之为乐，少之为贵，多之为美。是故先生之制礼也，不可多也，不可寡也，唯其称也。是故君子大牢而祭谓之礼，匹士大牢而祭谓之攘。管仲镂簋①，朱纮，山节，藻棁②，君子以为滥矣。晏平仲③祀其先人，豚肩不揜豆，澣④衣濯冠以朝，君子以为隘矣。是故君子之行礼也，不可不慎也，众之纪也，纪散而众乱。孔子曰：“我战则克，祭则受福。”盖得其道矣。

【注释】

①镂簋（guǐ）：指用镂玉装饰的盛食物的器皿，这里指天子的器皿。

②藻棁（zhuō）：梁子上带有水藻画的短柱。

③晏平仲：即晏婴，字仲平，齐国的大夫。

④澣（huàn）：洗。

【译文】

古代的圣人，均以用德来涵养内心为高尚，以用德发扬于外为乐事，以用比较少的礼物体现出德为可贵，将用尽量多的礼物来发扬德行作为美事。因此先王制定礼，不可以增加，也不可以减少，只要让礼与礼物相称便足够。因此，君子在祭祀的时候用牛、羊、猪三牲来祭祀叫作合礼，普通的士人在祭祀时使用牛、羊、猪被称为盗用君子之礼。管仲雕刻镂玉来修饰给君主盛食物的器皿，在帽子上系红色的丝带，将庙堂的柱子雕刻成斗拱形，用彩色来修饰梁上的短柱，君子认为这都是对礼的滥用。晏婴祭祀祖先的时候，用的猪蹄膀很小，豆子都装不满，朝见国君的时候只是将衣帽洗了一下，君子认为这样的礼太过狭隘。因此君子在行礼的时候不能不注意，因为君子的言行都是众人的纲纪，如果这个纲纪散了，那么其他人也就乱了。孔子曾经说过："知礼的人打仗能够取得胜利，祭祀能够享受福泽。"这便是掌握了行礼的道理吧！

六

【原文】

礼也者，反本修古，不忘其初者也。故凶事不诏，朝事以乐①。醴酒之用，玄酒之尚；割刀②之用，鸾刀③之贵；莞簟④之安，稾⑤鞂之设。是故先王之制礼也，必有主也，故可述而多学也。

【注释】

①朝事以乐：朝事，尊贤养老。以乐，违反和乐的本心。

②割刀：现在的刀。

③鸾刀：古代的刀。

④簟（diàn）：竹席。

⑤稾（gǎo）："稿"的异体字，指稻子、麦子的秸秆。

【译文】

礼，是为了让人恢复本性，修习古道，不忘初心。因此有丧事在身的人不用别人告诉便能够由衷地感到悲伤；朝廷尊贤养老而演奏音乐能够让人和乐；醴酒可以用来祭祀，玄酒被用来孝敬长辈；割刀锋利易于切割，而鸾刀则因身价贵而被收藏起来；莞席和竹席都便于安卧，而祭天却要铺设用禾秆编织而成的粗席。所以先王制礼，必定要以恢复本性、修习古道作为主要内容，制定出的礼可以通过传播让人学到更多礼节而不会厌烦。

内则

郑玄认为："名曰《内则》者，以其记男女居室事父母舅姑之法。"孔颖达对这种说法进行了延伸，认为："以闺门之内，轨仪可则，故曰内则。"《内则》主要介绍了养老之法等内容，对研究古人的孝道有所启示。

一

【原文】

后王①命冢宰："降德于众兆民。"

【注释】

①后王：即君王，也可称为天子。

【译文】

天子命令太宰："到下面去对广大的百姓进行教育。"

二

【原文】

子事父母，鸡初鸣，咸盥漱①，栉，縰②，笄，緫③，拂髦，冠，緌④缨，端，韠⑤，绅，搢笏⑥。左右佩用：左佩纷、帨⑦、刀、砺、小觿⑧、金燧；右佩玦、捍、管、遰⑨、大觿、木燧。偪⑩，屦著綦⑪。

【注释】

①盥（guàn）漱：盥，洗手。漱，漱口。

②纚（xǐ）：这里指用黑色的缯缠住发髻。

③緫（zǒng）：束，束发之本。

④緌（ruí）：古代的一种蔽膝，上窄下宽而较长，可遮住大腿至膝部。

⑤韠（bì）：古时候穿在身前的皮革衣服。

⑥搢笏（jìn hù）：古时候的官服没有口袋，所以只能将笏插在腰带上。

⑦帨（shuì）：如同现今的手巾。

⑧小觿（xī）：古代解衣服用到的工具，锥子形。

⑨遰（dì）：刀鞘。

⑩偪（bī）：用来束胫，从足至膝，如今称为裹腿。

⑪綦（qí）：鞋带。

【译文】

儿子侍奉父母，鸡在叫第一遍的时候，就应该洗漱、梳头，用黑缯缠好发髻，在发髻上插好笄，再将脑后的头发束好让它下垂作为头饰，弹去髦上的灰尘之后戴在头上，再加上冠，让緌饰垂在冠缨的下面，穿上黑色的端服，系上蔽膝，将衣服的外带束上，带子中间插上笏。左右佩戴着准备给父母用的东西：左边佩上布巾、手绢、小刀、磨石、解衣服用的小锥子，取火用的金燧；右边佩上在射箭时套在右手拇指钩弦用的玦，束衣服用的捍、钥匙、刀鞘以及解大结用的大锥子，钻木取火用的钻子。将脚和小腿捆绑好，将自己的鞋带系好。

三

【原文】

妇事舅姑，如事父母。鸡初鸣，咸盥漱，栉，縰，笄，緫，衣绅。左佩纷、帨、刀、砺、小觿、金燧。右佩箴、管、线、纩[1]，施縏袠[2]；大觿、木燧。衿缨，綦屦。

【注释】

①纩（kuàng）：新丝棉絮。

②縏（pán）：小袋子。袠（zhì）：因縏袠乃针刺制成，所以名为“縏袠”。

【译文】

媳妇在侍奉公婆的时候，应该像侍奉自己的亲生父母一样。鸡在叫第一遍的时候，就要洗漱，梳头，用黑缯将发髻缠好，在发髻上插好笄，再将脑后的头发束好，让它垂下来作为装饰，穿上绡衣将绅带系好。左边佩戴着布巾、手绢、小刀、磨石、解衣服用的小锥子、取火用的金燧；右边佩戴上针、钥匙、线、丝绵，将这几样东西放在刺绣的小袋子里；还要佩戴好解大结用的大锥子和钻木取火用的钻子。系好香囊，将自己的鞋带系好。

玉藻

《玉藻》是《礼记》中的重要篇章。“玉藻”一名取自开篇“天子玉藻十有二旒”。

本篇可以分为两大部分，第一部分介绍了从天子、王后到士等人衣服佩饰方面的礼节以及国君和各阶级的饮食、起居等制度。第二部分介绍了朝廷之上以及家里不同身份的人应该遵守的一些礼节。

《玉藻》保留了先秦时期冠帽服装的穿戴制度，其中也蕴藏着儒家的思想。这是非常宝贵的文献，具有重要价值。

一

【原文】

天子玉藻[1]十有二旒[2]，前后邃延[3]，龙卷[4]以祭。玄端而朝日于东门之外，听朔于南门之外。闰月则阖门左扉，立于其中。

【注释】

①藻：穿玉珠用的彩色丝绳。

②旒（liú）：本义为旗子下面的装饰品。这里是指古代皇帝礼帽前后的玉串。

③邃：深长。延：覆盖在帽子上的木板，上面蒙着玄色的布，里面为纁色。

④龙卷：在衣服上画龙即龙衮服。

【译文】

天子所佩戴的冕有用彩色丝绳穿玉珠做成的十二旒，旒在延的前后长垂着，天子身着龙衮服在宗庙祭祀。穿着玄色的衣服，戴着冕在国都的东门之外举行祭日礼，每逢初一都会在国都南门之外的明堂处理政务。如果恰逢闰月，便会关闭明堂的左扇门，站在门内来处理政务。

二

【原文】

皮弁[1]以日视朝，遂以食，日中而馂[2]，奏而食。日少牢[3]，朔月大牢，五饮：上水、浆、酒、醴、酏[4]。卒食，玄端而居。动辄左史书之，言则右史书之。御瞽[5]几[6]声之上下。年不顺成，则天子素服，乘素车，食无乐。

【注释】

①皮弁（biàn）：白鹿皮做成的帽子。

②馂（jùn）：没吃完的食物。

③少牢：猪、羊各一只。

④酏（yǐ）：稀粥。

⑤瞽（gǔ）：眼瞎。

⑥几：察。

【译文】

天子每天戴着白鹿皮做的帽子上朝听政，然后戴着帽子用早餐，到中午的时候吃早上剩下的食物，吃饭时要有人在旁边演奏音乐。平时食用羊、猪各一只，每月初一可以用牛、羊、猪各一只，并可以饮用五种饮料：第一种是水，其次是醋水、酒、醴以及稀粥。吃完饭之后，穿着玄色的端服悠闲地待着。天子的行动均由左史来负责记录，言论则由右史进行记录。服侍天子的乐人要注意从民间的音乐中了解到政治的得失。年成不顺，天子就需要穿上白衣，乘着白木车，吃饭的时候也不能演奏音乐。

三

【原文】

诸侯玄端以祭，裨冕以朝，皮弁以听朔于太庙，朝服以日视朝于内朝。朝，辨色[1]始入。君日出而视之，退适路寝听政，使人视大夫。大夫退，然后适小寝，释服。又朝服以食，特牲，三俎[2]，祭肺。夕深衣，祭牢肉。朔月少牢，五俎，四簋[3]。子卯，稷食，菜羹，夫人与君同庖。

【注释】

①辨色：天色初明能够分辨事物的时候。

②三俎：猪肉、鱼肉和腊肉。

③簋（guǐ）：古时候盛饭用的器皿。

【译文】

诸侯戴着玄冕在宗庙中祭祀，穿着礼服、戴着冠帽朝见天子，每月初一都要戴皮弁在太庙处理政务，平时穿着朝服在内堂处理政务。群臣入朝，在天刚亮的时候。当太阳出来的时候，国君才会出来朝见群臣，然后再退入正厅处理朝政，派人召见大夫们进入寝宫商议政务。大夫们从天子的寝宫退出来之后，国君再进入寝宫，将朝服脱下来。到了用餐的时候再穿上朝服用餐，膳食为宰一头猪、设三俎，在吃饭之前用猪肺祭礼，到了傍晚的时候穿深衣，吃晚饭的时候，在吃饭之前用猪肉祭礼。初一祭祀用少牢设五俎，四簋。到了子日（每隔十二天就会出现一个子日）或者卯日（每隔十二天出现一个卯日）就要吃稷饭和菜羹。夫人与国君一起用餐。

四

【原文】

君无故不杀牛，大夫无故不杀羊，士无故不杀犬豕。君子远庖厨[1]，凡有血气之类，弗身践也。至于八月不雨，君不举。年成不顺，君衣布，搢本[2]，关梁不租，山泽列而不赋，土功不兴，大夫不得造车马。

【注释】

①君子远庖厨：君子因为心疼禽兽，不忍见它死去，更不愿吃它的肉，因此需要远离厨房。

②搢（jìn）本：插在笏板的下面。

【译文】

国君没有理由不能杀牛，大夫没有理由不能杀羊，士没有理由不能杀狗或者猪。君子让自己远离厨房，凡是身体中流着血液、还有气息的动物，都不会亲自去看它们被宰杀。国家连续八个月不降雨，国君在吃饭的时候不能演奏音乐。收成欠佳，国君需要穿上布衣，腰带中间插上笏板，各个关卡和山梁不能收取租金，山川大河只能划分出禁区和开放地区以便让百姓能够获得生活物资，国家和地方不能收取赋税，不能兴建土木工程，大夫不能添置车马。

五

【原文】

侍坐则必退席，不退，则必引而去君之党。登席不由前，为躐[①]席。徒坐不尽席尺。读书、食，则齐，豆去席尺。

【注释】

①躐（liè）：踩。

【译文】

大臣在国君身边陪坐必须要退坐到国君旁边的席子上，如果不退坐到旁边的席子上，一定要退到跟国君所亲近的人后面去坐。到席子上的时候，不能从席子的前面上去，以防失礼践席。如果没有事而坐在席子上，要在席子的前面留出一尺的地方而不能坐到席子的边上。读书、吃饭的时候要坐到和席子的前沿平齐的地方，盛食物的器皿要放在离席子一尺的地方。

六

【原文】

始冠缁布冠，自诸侯下达。冠而敝之可也。玄冠，朱组缨，天子之冠也。缁布冠，缋①绥，诸侯之冠也。玄冠，丹组缨，诸侯之齐冠也。玄冠，綦组缨，士之齐冠也。缟冠，玄武，子姓之冠也。缟冠，素纰②，既祥之冠也。垂绥五寸，惰游之士也。玄冠，缟武，不齿之服也。居冠属武。自天子下达，有事然后绥。五十不散送。亲没不髦③。大帛不绥。玄冠紫绥，自鲁桓公始也。

【注释】

①缋（huì）：同“绘”。

②纰（pí）：边缘。

③髦（máo）：前额的短发。

【译文】

行冠礼的时候，第一次加的冠为细布冠，从诸侯到下士均是如此。这种用细布做的冠在举行完冠礼之后就可以弃而不戴了。玄色的冠，红色丝带做的冠缨，是天子举行冠礼时第一次加的冠。细布作冠，彩绘的装饰，是诸侯行冠礼第一次加的冠。玄色的冠配上红色的丝质帽带，是诸侯祭祀时所佩戴的冠。玄色的冠配上青黑色的丝质帽带，是士在祭祀时所要佩戴的冠。用白色的生绢制成冠而将冠卷染成玄色，这种用白色表示凶兆，用玄色表示吉利的冠，是孙子在其祖父去世之后，父亲的丧服还没有脱掉而自己的丧服已经脱掉的时候所佩戴的冠。用白色的生绢制成冠，用白色镶边，这是孝子在大祥（丧礼仪式）之后所戴的冠。惰怠失业的人，所佩戴的冠与孝子在大祥之后所戴的冠是相同的，但是冠緌只有五寸长。玄色的冠配上用白色生绢制作的冠圈，是被人们不耻的人戴的冠。闲居的时候所戴的冠，其冠梁和冠圈是连在一起的。这种做法，天子以下都是通用的，只有有事的时候才会让緌垂下来。五十岁以上的人在送葬的时候可以不散垂腰绖。父母去世之后，为人子女的人不用再佩戴髦了。用白色的素冠不要用垂緌作为饰，因为这是一种凶冠。玄色的冠配上紫色的帽带，这从鲁桓公便开始了。

七

【原文】

凡侍于君，绅垂①，足如履齐，颐霤②，垂拱，视下而听上，视带以及袷③，听乡任左。

【注释】

①绅垂：弯腰的时候前裳的下边挨地与鞋持平。

②霤（liù）：指屋檐。

③袷（jiá）：交叠于胸前的衣领。

【译文】

只要是在君王的身边服侍，身子应该稍微向前倾，让绅带不贴在身上而下垂裳的前摆能够碰到地，如同让脚踩了一般，低头而让下巴下垂像屋檐一样，双手合抱下垂，视线要向下看，但是听国君讲话时要扬首谛听。视线向下不能低于国君的腰带，向上不要高于国君衣服的领子。听君王讲话的时候，要用左耳来听。

学记

《学记》是一篇教育专著，大概在战国末期成文。本篇主要讨论教育的施行，将重点放在教育过程中内部之间的关系，涉及内容有教育的作用、政策、制度、方法等诸多领域，首次从理论上对教育教学进行了全面总结。在中国乃至世界的教育著作中，《学记》都具有十分重要的价值。

一

【原文】

发虑宪①，求善良，足以谀②闻③，不足以动众；就贤体远，足以动众，未足以化民。君子如欲化民成俗，其必由学乎！

【注释】

①宪：法。

②谀（xiǎo）：小。

③闻（wèn）：名声。

【译文】

考虑问题符合法度，征求有才德的人，这样能够博得小名声，却不能够感动百姓。接近贤人，体察远方的臣民，便可以感动百姓，但是不足以教化百姓。君子想要教化百姓，形成良好的风俗，就一定要通过教育。

二

【原文】

玉不琢，不成器；人不学，不知道。是故古之王者，建国君民，教学为先。《兑命》[1]曰：“念终始，典于学。”其此之谓乎！

【注释】

①《兑（yuè）命》：“兑”乃是“说”字的错误写法。《说命》是《尚书》中的不明篇章，如今已不可查。

【译文】

玉石不经过雕刻，不能变成精美的器皿；人如果不学习，便不能明白做人的道理。因此，古代的君王建立国家，统治人民，都要将兴教办学放在首位。《尚书·兑命》篇中说：“要始终想着不断学习。”说的便是这个道理。

三

【原文】

虽有嘉肴，弗食，不知其旨也。虽有至道，弗学，不知其善也。是故学然后知不足，教然后知困。知不足，然后能自反也；知困，然后能自强也。故曰：教学相长也。《兑命》曰：“学[1]学半。”其此之谓乎！

【注释】

①学：读xiào，教的意思。

【译文】

即便是美味可口的饭菜，如果不亲自尝一尝，也不知道它的美味；即便是至善至美的道理，如果不学习，也不能了解它的好处。因此，通过学习才能够了解到自己的不足，才能反省自己；感到困惑之后才能孜孜不倦地去发愤图强。所以说，教与学是相互促进的。《尚书·兑命》篇中说："教别人，一半也是增长自己的知识。"说的就是这个道理。

四

【原文】

古之教者，家有塾，党①有庠②，术③有序，国④有学。比年⑤入学，中年⑥考校。一年视离经辨志，三年视敬业乐群，五年视博习亲师，七年视论学取友，谓之小成。九年知类通达，强立而不反，谓之大成。夫然后足以化民易俗，近者说服，而远者怀之，此大学之道也。《记》曰："蛾子⑦时术之。"其此之谓乎！

【注释】

①党：古时五百户为党。

②庠（xiáng）：开设在遂中的学校。

③术（suì）：乃"遂"字之误，古时一万二千五百家为遂。

④国：京城。

⑤比（bì）年：每年。

⑥中年：每隔一年。

⑦蛾（yǐ）子：小蚂蚁。

【译文】

古代设置学校施行教育，二十五家的闾中设置塾，五百家的党中建立庠，一万二千五百家的术中建立序，在天子或诸侯的国都中设立大学。人们每年入学学习，隔一年就要考试一次。入学一年的学生要考察他的读经断句能力并了解他的学习兴趣，入学三年的学生要考察他是否专心学业、能否与同学和睦相处，入学五年的学生要考察他学习的知识是否广泛并能否尊敬师长，入学七年的学生要考察讨论学问并结交了怎样的朋友，通过七年的学习就叫学业小成。入学九年的人已经能够触类旁通，有自己独特的见解并能不违反老师的教育，这叫作学业大成。学业大成的人便可以教化百姓，改变风俗，让身边的人心悦诚服，让远方的人来归附，这便是大学教育的宗旨。《礼记·学记》中说："蚂蚁也能够将土堆成堆。"说的便是这个意思吧！

五

【原文】

大学始教，皮弁祭菜，示敬道也。《宵雅》肄①三，官其始也。入学，鼓，箧②，孙③其业也。夏、楚二物，收其威也。未卜禘不视学④，游其志也。时观而弗语，存其心也。幼者听而弗问，学不躐⑤等也。此七者，教之大伦也。《记》曰："凡学，官先事，士先志。"其此之谓乎！

【注释】

①肄（yì）：学习，练习。

②箧（qiè）：箱子一类的事物。

③孙（xùn）：通"逊"，恭顺的样子。

④视学：考察优劣。

⑤躐（liè）：超越。

【译文】

大学在举办开学典礼的时候，需要穿着礼服，准备祭祀用的菜品来祭拜先哲，代表尊师重道。学生要吟诵《诗经·小雅》中的《鹿鸣》《四牡》《皇皇者华》三首诗，让学生在一入学的时候便树立做官入仕的志向。入学时，教官击鼓招集学生，打开书箱发书籍，让他们能够用严肃的态度对待学业，同时要用夏、楚两种教鞭处罚不听教的学生，以表示要维持严肃的学习秩序。天子、诸侯没有通过占卜举行禘祭之时，不能到校考查学生，要让学生有充裕的时间做好应考准备。老师应该先观察学生而不应该去告诉他们该学什么，以便让他们懂得自己用心思考。年纪较大的学生向老师请教的时候，年纪较小的要注意听，不要插嘴，因为学习是循序渐进的，不能随便越级。这七点是推行教育顺序的大纲。《礼记·学记》中说："在教学的过程中，教官需要先尽责，读书人需要先立志。"说的便是这个道理。

六

【原文】

大学之教也，时教必有正业，退息必有居学。不学操缦[①]，不能安弦；不学博依，不能安《诗》；不学杂服[②]，不能安礼；不兴[③]其艺，不能乐学。故君子之于学也，藏焉，修焉，息焉，游焉。夫然，故安其学而亲其师，乐其友而信其道，是以虽离师辅而不反也。《兑命》曰："敬，孙，务，时，敏，厥修乃来。"其此之谓乎！

【注释】

①缦（màn）：琴弦。

②服：事。

③兴：喜欢。

【译文】

大学的教育课程，要按照时令进行，所教的内容必须是先王的经典，休息的时候要有居所学习。不学习拨弦的方法，便不可能把琴弹好；不广博地学习比兴的表现手法，便不能学好《诗经》；不学习服饰弁冕知识，便不可能学好礼仪；不喜欢练习各种杂艺，便不能好好学习。因此君子对于学习，心里要有志向，不断进修学业，休息、游玩时也不忘记学习。只有这样，才能安心学习，与师长相亲近，乐于与别人交朋友，信奉所学的道理，即便离开了师长的教导，也不会违背自己所学的道理。《尚书·兑命》篇中说："尊敬道术，恭敬地对待学习，时刻不忘学习，学过的道理能够迅速施行，才能在学业上有所成就。"说的便是这个道理！

七

【原文】

今之教者，呻其佔[①]毕，多其讯，言及于数，进而不顾其安，使人不由其诚，教人不尽其材，其施之也悖，其求之也佛[②]。夫然故，隐其学而疾其师，苦其难而不知其益也。虽终其业，其去之必速。教之不刑，其此之由乎！

【注释】

①佔（chān）：看。

②佛：通"拂"。

【译文】

如今的师长，只会照本宣科，又多借着向学生提问的机会掩饰自己知识的空虚，解说没有定见，一味追赶进度，根本不顾及学生是否理解，教育学生不出于诚心，不能将自己的知识毫无保留地传授给学生，教授内容本身也漏洞百出，向学生提问自然答非其解。如果这样，学生学得不明不白，怨恨自己的师长，又苦于自己学到的知识太难而不懂学习它的好处。虽然学业已经完结，他所学到的知识必然也会很快忘掉。教育不成功，原因大概就是这样吧！

八

【原文】

发然后禁，则扞[①]格而不胜。时过然后学，则勤苦而难成。杂施而不孙，则坏乱而不修。独学而无友，则孤陋而寡闻。燕朋逆其师。燕辟[②]废其学。此六者，教之所由废也。

【注释】

①扞（hàn）：抵触。

②燕辟：燕游邪僻。

【译文】

坏事发生之后加以禁止，人们对措施抵触而难以奏效；错过了学习的最佳时期，事后补救，尽管勤奋刻苦也难以有所成就；教学杂乱无章而不能按照规律进行，就会搞乱教学秩序而无法整饬；自己一个人苦思冥想而不去与朋友互相讨论，就会变得学识浅薄、见识短浅；不尊敬朋友必定违反了师长的教育；闲逛而不好学必然会荒废学业。这六个方面，是造成教育失败的原因。

九

【原文】

君子既知教之所由兴，又知教之所由废，然后可以为人师也。故君子之教喻也，道而弗牵，强而弗抑，开而弗达。道而弗牵则和①，强而弗抑则易，开而弗达则思。和、易以思，可谓善喻矣。

【注释】

①和：没有抵触。

【译文】

君子既然懂得了教育兴盛的方法，又明白教育失败的原因，然后才能当一个好老师。所以说君子教育学生，对学生引导，而不强牵着学生走，加以鼓励而不压制学生的进取精神，加以开导而不把话说得太过透彻。引导而不强拽着学生走可以避免学生产生抵触情绪，鼓励而不抑制学生的进取精神能够让学生更愿意接受，开导而不把话说得太透彻，能够启发学生思考。不会让学生产生抵触情绪，愿意去接受知识并乐于思考，这样的教育才能称得上是完善的教育。

十

【原文】

学者有四失①，教者必知之。人之学也，或失则多，或失则寡，或失则易，或失则止。此四者，心之莫同也。

知其心，然后能救其失也。教也者，长善而救其失者也。

【注释】

①失：过失。

【译文】

学生容易犯四种过失，老师必须要了解。学生的学习，失败的原因，有的是因为贪多，有的是因为知识面太过偏窄，有的是因为学习态度太过轻浮，有的是因为害怕困难中途放弃。这四种原因，都是由学生的不同心理和才智所引起的。作为教师应该了解学生的心理，帮助他们克服缺点。从事教育的人，便是让学习的人能够发挥自己的长处，补救自己的短处。

十一

【原文】

君子知至学之难易，而知其美恶，然后能博喻[①]。能博喻然后能为师，能为师然后能为长，能为长然后能为君。故师也者，所以学为君也。是故择师不可不慎也。《记》曰：“三王四代唯其师。”此之谓乎！

【注释】

①博喻：通过了解学习者的志趣进行教育，即因材施教。

【译文】

君子根据学生在学习过程中感觉难易的不同，来了解他们资质的好坏，然后进行针对性的启发引导。能够从多个方面对学生进行引导启发，才能成为好老师。成为好老师才能做好官，当好长官才能成为好国君。所以说，当老师的人，就是学习成为国君的人，因此选择教师不能不慎重。《礼记·学记》中说：“三王四代的君主之所以圣明，因为能够慎重地选择老师。”说的就是这个道理啊！

十二

【原文】

凡学之道，严师为难。师严然后道尊，道尊然后民知敬学。是故君之所不臣于其臣者二：当其为尸则弗臣也，当其为师则弗臣也。大学之礼，虽诏于天子，无北面[①]，所以尊师也。

【注释】

①无北面：不用面朝北，即不用行对天子的礼节。古时天子坐北朝南，臣子拜见天子要面朝北。

【译文】

凡学习之道，最难的便是尊敬师长。老师受到尊敬，然后道才能受到重视；道受到重视，然后人民才会认真学习，所以君王不把臣子当成臣子看待，只有两种情况：一种是臣子在祭祀中担任尸时，不敢把他当成臣子；另一种是臣子是自己的老师时，不敢把他看作臣子。大学的礼仪，虽然是给天子讲学，老师不必面向北方，就是为了表示尊敬老师。

十三

【原文】

善学者，师逸而功倍，又从而庸[①]之。不善学者，师勤而功半，又从而怨之。善问者如攻坚木，先其易者，后其节目，及其久也，相说以解。不善问者反此。善待问者如撞钟，叩之以小者则小鸣，叩之以大者则大鸣，待其从容，然后尽其声。不善答问者反此。此皆进学之道也。

【注释】

①庸：功劳。

【译文】

善于学习的人，能够让老师不费力气还收到不错的学习成果，并将这些归功于老师。不善于学习的人，老师很勤快地去教导他却收效甚微，同时这些人还会对老师十分埋怨。善于提问的人，好像去砍伐坚硬的木材，先从最容易的地方着手，然后再砍坚硬的节疤，等时间长了，木材就可以分解了。不善于提问的人，恰恰与之相反。善于回答问题的人，就像是撞钟一样，用力小，钟声也小，用力大，钟声也大，从容地响，然后慢慢鸣响完。不会回答问题的人恰好与此相反。以上这些，讲的便是教学的一些方法。

十四

【原文】

良冶之子，必学为裘；良弓之子，必学为箕；始驾马者反之，车在马前[①]。君子察于此三者，可以有志于学矣。

【注释】

①车在马前：用大马驾车在前面，将马驹系在车的后面，这样马驹天天看到车走，之后再用来拉车，就不会受到惊扰。

【译文】

技艺高超的冶金匠的儿子，必定要先学习缝补皮袍；技艺高超的制弓匠的儿子，一定先去学习编簸箕；刚开始学习驾车的幼马，与大马驾车的位置正好相反，车子要走在幼马前面。君子只有明白了这三种让事业成功的道理，便能够志于学习了。

十五

【原文】

古之学者比物丑①类，鼓无当于五声②，五声弗得不和；水无当于五色③，五色弗得不章；学无当于五官④，五官弗得不治；师无当于五服，五服弗得不亲。

【注释】

①丑：比较。

②五声：宫、商、角、徵、羽。

③五色：赤、青、黄、白、黑。

④五官：泛指各级官吏。

【译文】

古代的学者，喜欢模拟各类事物。鼓，与五声没有关联，但是五声中如果没有鼓的节奏便会不和谐。水，不是五色之一，五色中没有水的调和便不会鲜明。学习，本不是五官中的一项，五官如果不通过学习，便不能了解治理之道。老师并不在五服之中，但如果没有老师的教育，五服之亲就不知道如何亲近。

十六

【原文】

君子[1]："大德不官，大道不器，大信不约，大时不齐。察于此四者，可以有志于学矣。"三王之祭川也，皆先河而后海，或源也，或委也，此之谓务本。

【注释】

①君子：下脱"曰"字。

【译文】

君子说："德行高尚的人并不拘于任何官职，掌握大道理的并不偏于任何器用，讲求诚信的人并不需要订立盟约，最要紧的时候不要求行动整齐划一。明白了这四种道理，便可以明确学习的志向了。"古代三王祭祀江河的时候，都是先祭祀河神然后祭拜海神，这是因为河是海的本源，而海是河的归宿。这才叫抓住根本。

乐记

《乐记》继承并发展了儒家思想关于音乐作用、形式与礼、善之间的关系，阐述了音乐对人的情感、意志等方面的影响，也突出了音乐对教育的积极作用。《乐记》是古时候最为系统的音乐思想论著，对现今社会有着不可磨灭的影响。

一

【原文】

凡音[①]之起，由人心生也。人心之动，物使之然也。感于物而动，故形于声。声相应，故生变。变成方[②]，谓之音。比音而乐之，及干戚羽旄谓之乐。

【注释】

①音：曲调，《乐记》中，“音”与“声”“乐”相对，郑玄将宫、商、角、徵、羽五音相杂调和称为音，单出称为声。

②成方：曲调。

【译文】

“音”的兴起，是从人的心里产生的。人的心动，是外界事物影响的结果。受到外界事物的影响而心动，用“声”表现出来。声音相互应和，就会产生变化。变化形成一定曲调就称为“音”。根据歌曲的曲调来唱歌，并且手拿戚羽旄跳舞便称为乐。

二

【原文】

乐者，音之所由生也，其本在人心之感于物也。是故，其哀心感者，其声噍[①]以杀；其乐心感者，其声啴[②]以缓；其喜心感者，其声发以散；其怒心感者，其声粗以厉；其敬心感者，其声直以廉；其爱心感者，其声和以柔。六者非性也，感于物而后动。是故先王慎所以感之者。故礼以道其志，乐以和其声，政以一其行，刑以防其奸。礼乐刑政，其极一也，所以同民心而出治道也。

【注释】

①噍（jiào）：急促。

②啴（chǎn）：宽舒。

【译文】

“乐”是由“音”产生的，它的根源在于人心对外界事物的感受。由此，感到悲哀的人，他的声音是急促而低沉的；感到快乐的人，他的声音是徐缓而宽舒的；感到喜悦的人，他的声音是爽朗而悠扬的；感到愤怒的人，他的声音是粗哑而严厉的；当虔敬的心有所感应时，他的声音是直率而廉正的；当爱慕的心有所感应时，他的声音是和顺而柔美的。这六种声音并不是人的天性，是因为受到外界事物的影响进而发生的。所以说前代先王在感受外界事物的时候非常慎重。因此才会用礼来引导人们的心志，用乐来和顺百姓的心声，用政来统一百姓的言行，用刑来防止百姓作乱。礼、乐、刑、政，它们最终的目标是相同的，就是让百姓同心而社会安定，天下大治。

三

【原文】

凡音者，生人心者也。情动于中，故形于声。声成文，谓之音。是故治世之音安，以乐其政和。乱世之音怨，以怒其政乖。亡国之音哀，以思其民困。声音之道与政通[①]矣。

【注释】

①通：相通。

【译文】

但凡“音”，都是从人的内心产生的。心被感情所激，才会表现在外界的声音上。声音变成曲调，就称之为音。因此治世之音安详而喜乐，表示对政治和谐的喜悦。乱世之音幽怨而愤怒，表示对政治混乱的忧愤。亡国之音悲哀而忧郁，表示对人民困苦的忧思。声音的道理和政治是相通的呀！

四

【原文】

乐由中出，礼自外作。乐由中出故静，礼自外作故文[①]。大乐必易，大礼必简。乐至则无怨，礼至则不争。揖让而治天下者，礼乐之谓也。暴民不作，诸侯宾服，兵革不试，五刑不用，百姓无患，天子不怒，如此则乐达矣。合父子之亲，明长幼之序，以敬四海之内，天子如此，则礼行矣。

【注释】

①文：威仪交错。

【译文】

乐是从内心深处产生的，而礼则是从外在表现出来的。乐从内心产生才让人平静祥和，礼从外在发出才表现为种种礼节。大乐肯定是最平易的，大礼肯定是最简朴的。施行乐教就不会有怨恨，施行礼教就不会有纷争。人们互相谦让而治理整个天下，这就是所谓的礼乐。不出现违法犯罪的百姓，四方诸侯也都归顺天子，兵马武器不动用，各种刑罚也无须实施，百姓没有任何忧患，天子不专横，这样一来也就达到乐教的目的。让父子相亲，明确长幼之间的秩序，让尊敬之风在四海之内兴起，如果天子这样做，那么礼也就能够通行起来。

祭法

本篇讲述的是从有虞氏到周朝的祭祀制度，包括祭祀对象、方法、理论，阐述了祭祀活动的系统性和文化属性。

一

【原文】

燔柴[①]于泰坛，祭天也。瘗[②]埋于泰折，祭地也。用骍犊。埋少牢于泰昭，祭时也。相近于坎坛，祭寒暑也。王宫，祭日也。夜明，祭月也。幽宗，祭星也。雩宗[③]，祭水旱也。四坎坛，祭四方也。山林川谷丘陵能出云，为风雨，见怪物，皆曰神。有天下者祭百神。诸侯在其地则祭之，亡其地则不祭。

【注释】

①燔（fán）柴：古代祭祀仪式之一，将玉帛等物放在柴火上焚烧。

②瘗（yì）：掩埋。

③雩（yú）宗：古代祭坛的名字。

【译文】

在泰坛上堆柴焚烧玉帛等物，这是祭天的仪式。在泰坛上将玉帛等祭祀用品埋在地下，这是祭地的仪式。这两种都要使用赤色的小牛。在泰昭上掩埋羊、猪等物品，这是祭祀时的礼仪。在坑或坛上举行祖礼或迎礼，是为了祭祀寒暑。在王宫坛祭祀，是为了祭祀太阳。在夜明坛祭祀，是为了祭祀月亮。在幽宗坛祭祀，是为了祭祀星辰。在雩宗坛祭祀，是为了祭祀水旱之神。在四方各设一坎一坛，是为了祭祀四方。山林、川谷、丘陵可以形成云，能够召来风雨，呼唤怪物，这些都称为神。掌管天下的人就要祭祀天下间的各种神。诸侯在自己的领地祭祀，没有领地的就可以不用祭祀。

二

【原文】

大凡生于天地之间者皆曰命，其万物死者皆曰折，人死曰鬼，此五代之所不变也。七代[①]之所更立者，禘、郊、祖、宗，其余不变也。

【注释】

①七代：五代（唐、虞、夏、商、周）及其前之颛顼、帝喾。

【译文】

大凡只要在天地间生存的就称为“命”。万物的死亡都叫作折，人死了称为鬼，这是五代以来都没有任何改变的称呼。七代之后变动确立的，有禘祭、郊祭、祖祭、宗祭四种祭祀的对象，其余的都没有任何变化。

三

【原文】

天下有王，分地建国，置都立邑[①]，设庙、祧[②]、坛、墠[3]而祭之，乃为亲疏多少之数。是故王立七庙，一坛、一墠。曰考庙，曰王考庙，曰皇考庙，曰显考庙，曰祖考庙，皆月祭之。远庙为祧，有二祧，享尝乃止。去祧为坛，去坛为墠。坛、墠有祷焉祭之，无祷乃止。去墠曰鬼。诸侯立五庙，一坛，一墠。曰考庙，曰王考庙，曰皇考庙，皆月祭之。显考庙、祖考庙，享尝乃止。去祖为坛，去坛为墠。坛、墠有祷焉祭之，无祷乃止。去墠为鬼。大夫立三庙，二坛。曰考庙，曰王考庙，曰皇考庙，享尝乃止。显考、祖考无庙，有祷焉为坛祭之。去坛为鬼。适士二庙，一坛。曰考庙，曰王考庙，享尝乃止。显考无庙，有祷焉为坛祭之。去坛为鬼。官师一庙，曰考庙。王考无庙而祭之。去王考为鬼。庶士、庶人无庙，死曰鬼。

【注释】

①置都立邑：封给卿大夫采地及赏赐有功之人的土地。

②祧（tiāo）：远祖的庙。

③墠（shàn）：古时候的祭祀场所。

【译文】

天下立有进行统治的君主，分割土地而建立诸侯国，又为卿大夫及有功的臣子建立自己的封地，并且设置庙、祧、坛、墠的祭祀制度，来确立亲疏关系及立庙和祭祀的多少。所以天子立七庙、一坛、一墠。一为考庙即父庙，二为王考庙即祖父庙，三为皇考庙即曾祖父庙，四为显考庙即高祖父庙，五为祖考庙即高祖父父亲的庙，这五庙都是按月进行祭拜的。此外的两个庙为远祖庙，也就是祧庙，祧庙有两种，按季来进行祭拜就可以了。祧庙往上数一代的先人会设置祭坛，祭坛之上的一代则设置墠祭。祭坛和墠祭的祖先如果有要祈祷的事情才会祭拜，没有则不祭拜。设墠祭的祖先往上便是鬼。诸侯立五庙、一坛、一墠。一为父庙，二为祖父庙，三为曾祖父庙，三个庙宇都是按月来进行祭拜。另外两个为显考庙和祖考庙，按季来祭拜就可以了。祖考庙往上的一代先人设坛，设祭坛的祖先往上一代设墠。为之设坛与墠祭祀的祖先，有所祈求就祭祀，无所祈求则不用祭祀。设墠所祭之祖再往上就叫鬼。大夫设三庙、二坛。一为父庙，二为祖父庙，三为曾祖父庙，按季祭祀就可以了。显考和祖考没有庙，有祈求的时候直接设立祭坛。设坛祭祀的祖先再往上的称为鬼。上士设置二庙、一坛，一为亲庙，二为祖父庙，这两者都按季祭拜就可以了。显考没有庙，有所祈求的时候，才设立祭坛。显考以上的祖先称为鬼。中士、下士设立一个庙，即父庙。祖父没有庙，可以在父庙里祭拜他。祖父之上的就称为鬼。普通百姓和士人是没有庙的，死了之后都为鬼。

祭义

祭义，顾名思义，就是祭祀的意义。本篇除了论及祭祀的意义，还记述了祭祀先人之道和尊敬长者的义礼，其实这也是礼乐之道。从中我们可知，礼乐之道不仅能够修身养性，还能够帮助君主治理国家。

一

【原文】

祭不欲数，数则烦，烦则不敬。祭不欲疏，疏则怠，怠则忘。是故君子合诸天道，春禘[1]，秋尝。霜露既降，君子履之，必有凄怆之心，非其寒之谓也。春雨露既濡，君子履之，必有怵惕[2]之心，如将见之。乐以迎来，哀以送往，故禘有乐而尝无乐。

【注释】

①禘（dì）：四季祭祀的礼仪之一。

②怵惕（chù tì）：恐惧警惕的意思。

【译文】

祭祀的次数不能太多，次数太多的话就会使人感觉麻烦，就会引起不敬之情；祭祀的次数也不能太少，次数太少的话人就会懈怠，懈怠就会忘记祖先。所以君子应该顺应天道，春天举行禘祭，秋天举行尝祭。霜露降下来，君子踩在上面，心里就会感到凄凉悲怆，这并不是寒冷的缘故；春雨濡湿土地，君子踩在上面，心里就会生起恐惧警惕的心理，就好像见到已经逝去的亲人一般。人们用欢乐的心情迎接亲人神灵的到来，又以悲伤的心情送别亲人神灵的离去。这就是禘祭会有舞乐而尝祭却没有舞乐的原因。

二

【原文】

是故先王之孝也，色不忘乎目，声不绝乎耳，心志嗜欲不忘乎心。致爱则存，致悫[1]则著，著存不忘乎心，夫安得不敬乎！

【注释】

①悫（què）：恭谨的意思。

【译文】

所以说先王对亲人的孝顺，能使亲人的形象始终在眼前不会被遗忘，耳边也会时常响起亲人的声音，亲人的心志以及爱好都放在心里而不敢遗忘。至爱自己的亲人，亲人才会永远存在自己心中，对亲人恭谨，亲人的形象就会出现在自己眼前。这样亲人便存在心里永远不会被忘记，还怎么会对亲人不恭敬呢？

三

【原文】

君子生则敬养，死则敬享，思终生弗辱[①]也。君子有终身之丧，忌日之谓也。忌日不用，非不祥也，言夫日志有所至，而不敢尽其私也。

【注释】

①辱：受辱。

【译文】

君子双亲在世的时候要恭敬地赡养，去世之后要恭敬地祭祀，想着一生不能让双亲的名誉受辱。君子有终生之丧，说的就是不忘双亲忌日。忌日的时候不能做其他事情，并不是因为不祥，是说在这一天儿子的心思全部放在了对双亲的悼念上，而不敢做自己的私事。

四

【原文】

唯圣人为能飨[1]帝，孝子为能飨亲。飨者，乡也。乡之然后能飨焉，是故孝子临尸不怍[2]。君牵牲，夫人奠盎，君献尸，夫人荐豆。卿大夫相君，命妇相夫人。齐齐乎其敬也，愉愉乎其忠也，勿勿诸其欲其飨之也！

【注释】

①飨（xiǎng）：通“享”。

②怍（zuò）：脸色不和。

【译文】

只有圣人才能够让神享用祭品，只有孝子才能够让双亲享用祭品。飨，向的意思。向往才能够让神享用祭祀。这也是孝子在面对尸时没有一点不和悦之色的原因。祭祀时国君牵牲，夫人将盎放在靠近尸的席前，君主给尸献酒，夫人则为尸献上肉酱。卿大夫辅佐君主举行祭祀礼仪，命妇们辅助夫人来进行祭祀礼仪。他们整齐而显得恭敬庄重，他们神情愉悦而显得极为忠诚，他们极其努力而想让神享用祭祀的物品。

五

【原文】

仲尼尝，奉荐而进，其亲也悫，其行也趋趋以数[1]。已祭，子赣问曰：“子之言祭，济济漆漆然。今子之祭，无济济漆漆，何也？”子曰：“济济者，容也，远也。漆漆者，容也，自反也。容以远，若容以自反也，夫何神明之及交，夫何济济漆漆之有乎？反馈，乐成，荐其荐俎[2]，序其礼乐，备其百官，君子致其济济漆漆，夫何慌惚之有乎？夫言，岂一端而已？夫各有所当也。”

【注释】

①数：速。

②荐俎（zǔ）：盛放食物的器皿。

【译文】

孔子主持秋季的尝祭，捧着祭品走进来，他亲自劳作而显得那么恭谨，他行走的时候比较急促而快速。祭祀完毕后，子赣问孔子：“夫子所说的祭祀，应该表现出威仪而修饰整饬的样子。而今夫子举行的祭祀却没有威仪而有条理的样子，这是为什么呢？”孔子说：“讲究威仪，就是容貌，代表着疏远的关系。修饰整饬，也是容貌，代表着自我修饰。讲究容貌而表明疏远，或者是讲究容貌而自我修饰，这样一来又该如何与神明相交呢？我又为什么要讲究威仪和条理呢？天子的祭礼熟食进上，乐舞齐响，献上盛放食物的豆和俎，根据礼的规定和音乐节奏进行，百官齐备前来辅助祭祀，君子的祭祀显得威仪而又自我修饬，哪里还有思亲之情和祭神之仪呢？我以前说过关于祭祀的话，但怎么能够一概而论呢？各有各的不同要求罢了。”

六

【原文】

孝子将祭，虑事不可以不豫，比时具物不可以不备，虚中以治之。宫室既修，墙屋既设，百物既备，夫妇齐戒，沐浴，盛服，奉承而进之，洞洞[1]乎，属属[2]乎，如弗胜，如将失之，其孝敬之心至也与！荐其荐俎，序其礼乐，备其百官，奉承而进之。于是谕其志意，以其慌慌以与神明交。“庶或飨之，庶或飨之”，孝子之志也。孝子之祭也，尽其悫而悫焉，尽其信而信焉，尽其敬而敬焉，尽其礼而不过失焉，进退必敬，如亲听命，则或使之也。孝子之祭可知也：其立之也敬以诎，其进之也敬以愉，其荐之也敬以欲，退而立如将受命，已彻而退敬齐之色不绝于面。孝子之祭也，立而不诎固也，进而不愉疏也，荐而不欲不爱也，退立而不如受命敖也，已彻而退无敬齐之色而忘本也。如是而祭，失之矣。孝子之有深爱者必有和气，有和气者必有愉色，有愉色者必有婉容。孝子如执玉，如奉盈，洞洞属属然，如弗胜，如将失之。严威、俨恪，非所以事亲也，成人之道也。

【注释】

①洞洞：面色尊敬。

②属属：面色忠诚。

【译文】

孝子将要举行祭祀，不可以不提前考虑周到，依照时令筹备所有的物品不可以不齐备，做这些事情的时候心里不能有杂念。庙室修缮完毕，墙屋布置完毕，所有的祭祀物品配备齐全，夫妻戒斋沐浴，穿上华丽的礼服，捧着祭祀的物品进献给神，神情何等恭敬，面容又何等虔诚，就好像手里的物品太重，又担心掉下来一般，这是他们的孝心已经达到顶点的缘故！献上盛放食物的器皿，根据礼的规定和音乐节奏有条不紊地进退周旋，百官已经齐备等候，帮助主人捧着食物进行祭祀。于是祝官把孝子的心意报告给神，孝子用他的诚挚思亲之心与神沟通。“或许亲人的神明真的在享用祭祀物品了吧，或许亲人的神明真的在享用祭祀物品了吧”，这是孝子的心愿。孝子的祭祀，就是穷尽恭谨之心而表现出对神的恭谨，就是尽他对神明的信任而信任神明的存在，尽其恭敬之心而恭敬神明，尽其礼节而没有有所过失的行为。进退间都是毕恭毕敬的，就好像听到亲人神明的指令一般，又或者是什么东西在召唤自己一样。从孝子祭祀的表现，可以看出：站立的时候恭敬而使身体微屈，行进的时候脸色恭敬而和悦，献物品的时候想要让神明品尝，返回的时候好像受到了神明的指示，将祭祀物品撤下退出的时候脸上恭敬的神色并没有改变。孝子的祭祀，如果不鞠躬站立就会表现得过于粗野而不知礼，如果行进的时候不能和悦就会显得疏远神明，如果进献物品的时候不想要神明品尝就会显得并不真心爱戴神明，如果在退回的时候不能像听到神明指令一般就会显得傲慢，撤回食物退出时不能显得神色庄重就代表着遗忘了根本。像这样进行祭祀，也就失去了原本的意义。孝子对父母深爱必然有和顺的态度，有了和顺的态度肯定会脸色和悦，有了和悦的脸色肯定会有承欢的模样。孝子祭祀时就好像拿着贵重的玉器那样谨慎，就好像捧着满杯的水酒那样小心，表现出恭敬忠诚的样子，就好像无法承受祭品的重量，又害怕祭品掉落。威严、严肃的样子，并不是用来侍奉双亲的，只是成年人应该坚守的正道罢了。

七

【原文】

先王之所以治天下者五：贵有德，贵贵，贵老，敬长，慈幼。此五者，先王之所以定天下也。贵有德何为也？为其近于道也；贵贵，为其近于君也；贵老，为其近于亲也；敬长，为其近于兄也；慈幼，为其近于子也。是故至孝近乎王，至弟[1]近乎霸。至孝近乎王，虽天子必有父。至弟近乎霸，虽诸侯必有兄。先王之教，因而弗改，所以领天下国家也。

【注释】

①弟（tì）：通“悌”，尊敬兄长的意思。

【译文】

先王之所以能够治理天下主要有五个原则：尊重有道德的人，尊敬有地位的人，尊敬老者，尊敬长者，爱护年幼的人。这五点，是先王能够安定天下的原因。尊敬有道德的人，是因为他们可以亲近正道；尊重有地位的人，是因为他们亲近君主；尊重老者，是因为他们近似自己的双亲；尊重长者，是因为他们近似自己的兄长；爱护年幼的人，是因为他们近似自己的子女。所以达到孝的最高标准就接近天子了，敬重自己的兄长到达极点就能够接近霸者。把孝尽到极致就迫近于天子，因为即便是天子也一定有父母。将敬重兄长做到极致，是因为就算是诸侯也一定有兄长。先王的教诲，后人如果遵循不改，就可以领导天下了。

八

【原文】

乐正子春[1]下堂而伤其足，数月不出，犹有忧色。门弟子曰：“夫子之足瘳[2]矣，数月不出，犹有忧色，何也？”乐正子春曰：“善如尔之问也！善如尔之问也！吾闻诸曾子，曾子闻诸夫子曰：‘天之所生，地之所养，无人为大。父母全而生之，子全而归之，可谓孝矣。不亏其体，不辱其身，可谓全矣。故君子顷[3]步而弗敢忘孝也。’今予忘孝之道，予是以有忧色也。壹举足而不敢忘父母，壹出言而不敢忘父母。壹举足而不敢忘父母，是故道而不径，舟而不游，不敢以先父母之遗体行殆。壹出言而不敢忘父母，是故恶言不出于口，忿言不反于身，不辱其身，不羞其亲，可谓孝矣。”

【注释】

①乐正子春：曾子的学生。

②瘳（chōu）：痊愈。

③顷："跬"字之误，半步的意思。

【译文】

乐正子春下堂的时候弄伤了自己的脚，几个月不出门，并显现出忧虑的神色。他的弟子问："夫子的脚伤已经痊愈，几个月不出门，脸上还带有忧虑的神色，这是为什么呢？"乐正子春说："你问得很好！你问得很好！我从老师曾子那里听说，曾子从孔夫子那里听说：‘天上所生的，地上所养的，最为重要的就是人。父母将自己完整地生下来，儿子也应该用完整的身体归还才行，这才是所谓的孝。不能损害了身体，不能侮辱了身体，这就可以称为完完整整归还给父母了。所以君子就算走半步也不敢忘记孝道。’如今我却忘记了孝顺之道，所以我才会有忧虑啊！每一次抬脚都不敢忘记父母，每一次说话都不敢忘记父母。每一次抬脚都不敢忘记父母，所以行走的时候会选择大道而不会选择小路，乘船过河而不敢游过河，不敢用已逝双亲的遗体去冒险。每说一句话都不敢忘记父母，所以就不会口出恶言，这样他人的愤怒也就不会回击到自己身上，不侮辱自己的身体，不让自己的双亲蒙羞，这就是所谓的孝了。”

九

【原文】

昔者有虞氏贵德而尚齿，夏后氏贵爵而尚齿，殷人贵富而尚齿，周人贵亲而尚齿。虞、夏、殷、周，天下之盛王也，未有遗年者。年之贵乎天下久矣，次乎事亲也。

是故朝廷同爵则尚齿。七十杖于朝，君问则席。八十不俟朝[①]，君问则就之。而弟达乎朝廷矣。行肩而不并，不错则随。见老者则车、徒辟。斑白者不以其任行乎道路，而弟达乎道路矣。居乡以齿，而老穷不遗，强不犯弱，众不暴寡，而弟达乎州巷矣。古之道，五十不为甸徒，颁禽隆诸长者，而弟达乎狻狩[②]矣。军旅什伍，同爵则尚齿，而弟达乎军旅矣。孝弟发诸朝廷，行乎道路，至乎州巷，放乎狻狩，修乎军旅，众以义死之，而弗敢犯也。

【注释】

①俟朝：朝见国君后就可以退去，不必等待着罢朝。

②狻（sōu）狩：狻为春猎，狩为冬猎。

【译文】

从前，有虞氏尊重有道德的人并尊年长者为上，夏后氏尊重有爵位的人并尊年长者为上，殷人尊重富贵的人并尊年长者为上，周人尊重亲人并尊年长者为上。有虞氏、夏后氏、殷人、周人是天下的圣主，他们也没有忘记年长的人。

尊重年长者的规矩由来已久，仅次于侍奉自己的双亲。

所以，朝廷中爵位相同的两个人以年长者为尊。七十岁可以拿着拐杖上朝，国君如果向他询问还会赐予他席子。八十岁见过君主后可以不用等着罢朝，国君如果有问题就要去他家里请教。这样尊敬长者的风气就在朝中通行了。年少者不能与长者并肩而行，长者是兄长则错后一点，是长辈便走在他的后面。看到老年人的时候，年少者不管是乘车还是走路都要躲避到一边。头发花白者的重担要交由他人代劳，这样尊敬长者的风气就在路上通行了。在乡里居住也要尊敬长者，不能遗忘年老贫穷的人，强者不欺负弱者，人多的不欺负人少的，那么尊敬长者的风气就在乡里施行起来了。古时候的制度，五十岁的人不再管理田猎的事宜，分发猎物的时候年长者可以多得一些，这样尊敬长者的德行就在田猎之事上通行了。在军旅行伍中，爵位相同的以年长者为尊，这样尊敬年长者的风气也就在军中盛行了。尊敬年长者的风气从朝廷流出，在路上风行，一直到达了乡里，到达了田猎间，到达了军中，众人可以为这样的道义去死，这样就没有人再敢违反道义了。

经解

《经解》是对《诗》《书》《乐》《礼》《易》《春秋》六书的解释，对百姓具有潜移默化的教育功能。这六本书虽然各有各的特点，但总体来说还是以礼为主的。

一

【原文】

孔子曰："入其国，其教可知也。其为人也，温柔敦厚，《诗》教也；疏通知远，《书》教也；广博易良，《乐》教也；絜静精微，《易》教也；恭俭庄敬，《礼》教也；属辞比事，《春秋》教也。故《诗》之失，愚；《书》之失，诬[①]；《乐》之失，奢；《易》之失，贼[②]；《礼》之失，烦；《春秋》之失，乱。其为人也，温柔敦厚而不愚，则深于《诗》者也；疏通知远而不诬，则深于《书》者也；广博易良而不奢，则深于《乐》者也；絜静精微而不贼，则深于《易》者也；恭俭庄敬而不烦，则深于《礼》者也；属辞比事而不乱，则深于《春秋》者也。"

【注释】

①诬：欺骗，即言过其实。

②贼：伤害。

【译文】

孔子说："走进一个国家，就能够知道这个国家的教化。一个国家的百姓如果温柔敦厚，这就是《诗经》的教化；政见通达洞悉史实，这是《尚书》的教化；见识广博性情良好，这是《乐经》的教化；心神纯洁精神细微，这是《易经》的教化；恭敬俭朴庄重肃穆，这是《礼记》的教化；运用排比述说史事，这是《春秋左氏传》的教化。所以，如果《诗经》的教化被过分强调，就会显得愚昧没有智慧；《尚书》的教化被过分强调，就会带来偏见固执的错误；《乐经》的教化被过分强调，就容易奢侈；《易经》的教化被过分强调，就会给彼此带来伤害；《礼记》的教化被过分强调，就会带来烦琐的失误；《春秋左氏传》的教化被过分强调，就会造成妄议生乱的失误。为人处世，温柔敦厚却不愚昧，这是深得《诗经》的教化；通达有远见而不偏信，这是深得《尚书》的教化；见识广博性情良好而不奢侈，则深得《乐经》的教化；神情精微而不伤害正道，则深得《易经》的教化；恭敬庄重而不烦琐，则深得《礼记》的教化；如果能连缀成辞、排比史事而不杂乱，是深得《春秋左氏传》的教化。”

二

【原文】

礼之于正国也，犹衡之于轻重也，绳墨之于曲直也，规矩之于方圜也。故衡诚县[①]，不可欺以轻重；绳墨诚陈，不可欺以曲直；规矩诚设，不可欺以方圜；君子审礼，不可诬以奸诈。是故隆礼、由礼，谓之有方之士；不隆礼、不由礼，谓之无方之民。敬让之道也。故以奉宗庙则敬，以入朝廷则贵贱有位，以处室家则父子亲、兄弟和，以处乡里则长幼有序。孔子曰："安上治民，莫善于礼。"此之谓也。故朝觐之礼，所以明君臣之义也；聘问之礼，所以使诸侯相尊敬也；丧祭以礼，所以明臣子之恩也；乡饮酒之礼，所以明长幼之序也；昏姻之礼，所以明男女之别也。夫礼，禁乱之所由生，犹坊止水之所自来也。故以旧坊为无所用而坏之者，必有水败；以旧礼为无所用而去之者，必有乱患。故昏姻之礼废，则夫妇之道苦，而淫辟之罪多矣；乡饮酒之礼废，则长幼之序失，而争斗之狱繁矣；丧祭之礼废，则臣子之恩薄，而倍[②]死忘生者众矣；聘、觐之礼废，则君臣之位失，诸侯之行恶，而倍畔侵陵之败起矣。故礼之教化也微，其止邪也于未形，使人日徙善远罪而不自知也，是以先王隆之也。《易》曰：“君子慎始。差若毫氂，缪以千里。”此之谓也。

【注释】

①县（xuán）：同“悬”。

②倍：通“背”，违背、背弃的意思。

【译文】

对于治理国家来说，礼就如同秤对于度量轻重一样，墨线对于测量曲直一样，规矩对于方圆的作用一样。悬上秤，就不能欺瞒以轻重；有了墨线，就无法欺瞒以曲直；有了规矩，就无法欺瞒以方圆。君子审度于礼，就不能用奸诈来欺骗。所以重视礼、践行礼，才能够称为知礼法的人；不尊重礼，不践行礼，称之为不知礼法的人。这就是尊敬谦让的道了。所以，用礼来侍奉宗庙祖先就会显得虔敬，让礼进入朝廷就能够使贵贱不等的官职各就其位，用礼管理家庭能够父子相亲、兄弟和顺；用礼治理乡里能够做到长幼有序。孔子说：“要想君主安心，治理百姓，最好的办法就是推行礼了。”说的就是这个道理。所以，臣子觐见君主的礼仪，是为了明确君臣之间的关系；臣子诸侯间的聘问之礼，是为了让诸侯彼此尊敬；丧礼、祭祀的礼仪，是为了明确臣子、人子对君主和父亲的感恩之情；乡饮酒礼，是为了明确长幼的秩序；婚姻的礼仪，是为了表明男女之别。礼，是为了禁止混乱而产生的，就好比为了防止水患而建筑堤坝一样。所以如果旧的堤坝因为没有用处而遭到破坏，最后肯定会遭受水灾之害；如果认为旧时的礼仪没有用处便废除，最后肯定会发生混乱。所以如果废除了婚姻的礼仪，那么夫妻关系就会被破坏，就会增加淫乱邪僻的罪恶；如果废除了乡饮酒礼，就会失去长幼秩序，争斗的罪行也会日益繁多；如果废除了丧礼和祭祀礼，臣子、人子就不会懂得感恩，而违背死者、遗忘生者的人就会增加；如果将聘问和朝觐的礼仪废除，君臣上下关系就遭到破坏，诸侯开始犯下罪恶的行为，而背弃君主、欺辱别国的战乱就会兴起。所以礼的教化是隐微的，它在邪恶还没有形成的时候就能够起到防止的作用，让众人渐渐向善并且远离罪恶，这些都是在不知不觉中进行的，所以先王才对它特别重视。《易经》说："君子开始的时候一定要慎重，如果开始时有毫厘之差，就会造成相去千里的大错。"说的就是这个道理吧！

哀公问

哀公，指的是鲁哀公。哀公问的事情，一是礼，二是政。本篇采取一问一答（鲁哀公问，孔子回答）的形式，让读者了解到儒家思想的礼法和治政主张。

一

【原文】

哀公问于孔子曰："大礼如何？君子之言礼，何其尊也？"孔子曰："丘也，小人，不足以知礼。"君曰："否。吾子言之也。"孔子曰："丘闻之，民之所由生，礼为大。非礼无以节事天地之神也，非礼无以辨君臣、上下、长幼之位也，非礼无以别男女、父子、兄弟之亲，昏姻、疏数之交也。君子以此之为尊敬然，然后以其所能教百姓，不废其会节。有成事，然后治其雕镂、文章黼黻[1]以嗣。其顺之，然后言其丧筭[②]，备其鼎俎[③]，设其豕腊，修其宗庙，岁时以敬祭祀，以序宗族，即安其居，节丑其衣服，卑其宫室，车不雕几，器不刻镂，食不贰味，以与民同利。昔之君子之行礼者如此。”公曰：“今之君子胡莫行之也？”孔子曰：“今之君子，好实无厌，淫德不倦，荒怠敖慢，固民是尽，午其众以伐有道，求得当欲，不以其所。昔之用民者由前，今之用民者由后。今之君子莫为礼也。”

【注释】

①黼黻（fǔ fú）：华丽的修饰。

②丧筭（suàn）：五服的时间数。

③鼎俎（zǔ）：祭祀所用的礼器。

【译文】

鲁哀公询问孔子说：“大礼是怎样的呢？君子说到礼的时候，为什么那样尊敬呢？”孔子回答说：“我只是一个小人物，还不够资格来谈论礼。”哀公说：“不是。你尽管说说吧！”孔子说：“我听说，百姓所赖以生存的，最为重要的就是礼了。没有礼就无法主持天地间的祭祀之事，没有礼就无法分辨君臣、上下、长幼之间的位置，没有礼就无法分辨男女、父子、兄弟之间的亲情关系，没有礼就无法分辨婚姻、社交中的亲疏关系。因此君子才更加尊敬礼。然后君子还会尽其所能教导民众，使他们不废除该行礼的时节。有了成绩，然后开始雕饰镂刻、用华美的文章修饰以保证礼节的延续。民众顺从之后，才能够继续说关于丧礼的礼数，准备好祭祀用的鼎和俎，摆上蒸好的小乳猪和腊肉，修缮好宗庙，按照时节恭敬地祭祀，以此来排列宗族的秩序，这样就能够安定地居住下来，衣服端庄，宫室不求高大，车上无须装饰花纹，器具不用纹饰，吃饭也不需要一顿两样菜，以此来和民众共享利益。以往的君子都是这样行礼的。”哀公问：“现在的君子为何不这样行礼了呢？”孔子回答：“现在的君子，贪得无厌，行为更是放荡不堪，傲慢无礼，一定要把民众的财产搜刮殆尽才行，忤逆了众人的意思而讨伐有道的人，只为满足自己当下的欲望，用尽各种手段。从前的君子对待百姓就像前面所说的那样，现在的君子对待百姓就像后面所说的那样。所以现在的君子已经不再重视礼节了。”

二

【原文】

孔子侍坐于哀公。哀公曰：“敢问人道谁为大？”孔子愀然[①]作色而对曰：“君之及此言也，百姓之德也！固臣敢无辞而对。人道政为大。”公曰：“敢问何谓为政？”孔子对曰：“政者，正也。君为正，则百姓从政矣。君之所为，百姓之所从也。君所不为，百姓何从？”公曰：“敢问为政如之何？”孔子对曰：“夫妇别，父子亲，君臣严，三者正，则庶物从之矣。”公曰：“寡人虽无似也，愿闻所以行三言之道，可得闻乎？”孔子对曰：“古之为政，爱人为大。所以治爱人，礼为大。所以治礼，敬为大。敬之至矣，大昏为大，大昏至矣。大昏既至，冕而亲迎，亲之也。亲之也者，亲之也。是故君子兴敬为亲，舍敬是遗亲也。弗爱不亲，弗敬不正。爱与敬，其政之本与！”公曰：“寡人愿有言。然冕而亲迎，不已重乎？”孔子愀然作色而对曰：“合二姓之好，以继先圣之后，以为天地、宗庙、社稷之主，君何谓已重乎？”公曰：“寡人固。不固，焉得闻此言也？寡人欲问，不得其辞，请少进。”孔子曰：“天地不合，万物不生。大昏，万世之嗣也，君何谓已重焉？”孔子遂言曰：“内以治宗庙之礼，足以配天地之神明；出以治直言之礼，足以立上下之敬。物耻足以振之，国耻足以兴之。为政先礼，礼其政之本与。”孔子遂言曰：“昔三代明王之政，必敬其妻、子也，有道。妻也者，亲之主也，敢不敬与？子也者，亲之后也，敢不敬与？君子无不敬也。敬，身为大。身也者，亲之枝也，敢不敬与？不能敬其身，是伤其亲。伤其亲，是伤其本；伤其本，枝从而亡。三者，百姓之象也。身以及身，子以及子，妃以及妃：君行此三者，则忾②乎天下矣，大王之道也。如此，则国家顺矣。”

【注释】

①愀（qiǎo）然：肃然震动的样子。

②忾（kài）：满。

【译文】

孔子在鲁哀公身旁侍坐，鲁哀公问：“请问治理人最重要的方法是什么呢？”孔子面色肃然地回答道：“君主能够问出这样的话，是百姓的福气啊！所以臣不敢不回答。治理人最为重要的就是治政。”鲁哀公问：“请问什么是治政呢？”孔子回答说：“政，就是正。君子做得正，百姓才能够服从政令。君子的所作所为，就是百姓遵从的榜样。君子什么都不做，百姓要遵从什么呢？”鲁哀公又说：“请问如何治政呢？”孔子回答说：“夫妻有别，父子亲近，君臣肃穆。这三个方面正了，其他的事情自然而然就跟着正了。”鲁哀公说：“我虽然没有德才，但是也愿意听听如何实施这三句话，我可以听听吗？”孔子回答说：“古时候治政，最为重要的就是爱人；要想爱人，最为重要的就是治礼；要想治礼，最为重要的就是尊敬。敬意达到最高标准的，就是重视君主的婚礼，重视婚礼就是最高境界的表示。君主的婚礼是最高敬意的表示，婚礼上要穿着冕服前去迎接妻子，这代表亲自迎娶的意思。亲自迎娶，才能够表达对妻子的亲爱之情。所以说君子以相互尊重为亲，没有了尊重也就没有了亲。没有爱就没有亲，没有敬也就没有正。爱和敬，是治政的根本所在。”鲁哀公说：“我想要说句话。穿着冕服亲自去迎接，不会过于重视吗？”孔子面色肃穆地说：“婚姻是两姓人家的结好举动，以此来承续祖先圣君的后嗣，以做天地、宗庙、社稷的主祭人，君主为何要说过于重视了呢？”鲁哀公说：“我有些孤陋寡闻了。不孤陋寡闻，怎会听到这样的言论呢？我想要问，却找不到合适的言语，您还是继续往下说吧！”孔子说：“天地不合，万物就不会生长。君主的婚礼，是为了繁衍万世子嗣，君主为何会说过于重视了呢？”孔子又说：“夫妻对内能够治理宗庙的祭祀，能够配得上天地神明；对外能够发布政教的礼仪，足够树立上下相敬的关系。做到这些，事有耻辱足够得以刷清，国家有耻辱足够得以振兴。治政就要先治礼，礼才是治政的根本所在。”孔子又说：“以前有三代圣明君主施行的治政策略，一定是尊敬他们的妻子、儿子，这些都是有道理的。妻子是祭祀双亲的主祭人之一，哪敢不尊敬她呢？儿子是双亲的后嗣，哪敢不尊敬他呢？贤明的君主对妻子和儿子没有不尊敬的。敬，最重要的是尊重自己。自己的身体是双亲的分枝，哪敢不尊敬呢？无法尊重自己的，就是伤害了双亲。伤害了双亲，便伤害了根本。伤害了根本，分枝便会就此而亡。这三个，是百姓的象征。只有尊重自身才能够尊重百姓，只有尊重自己的儿子才能够尊重百姓的儿子，只有尊重自己的妻子才能够尊重百姓的妻子，君主施行这三个策略，就能够让教化遍布天下了。这样，国家就理顺了。”

坊记

《坊记》主要是为了防备人们做错事、做坏事而写下的篇章。整篇内容基本上都出于孔子之口。不过，为了提升震慑的效果，记述此篇的人往往将这些文字夸张化处理，有些危言耸听。所以，在阅读的时候，读者一定要区别对待。

一

【原文】

子云：“小人贫斯约，富斯骄。约斯盗，骄斯乱。礼者，因人之情而为之节文，以为民坊者也。故圣人之制富贵也，使民富不足以骄，贫不至于约，贵不慊[1]于上，故乱益亡。”

【注释】

①慊：不满而恨的样子。

【译文】

孔子说：“小人贫穷的时候则困顿，富贵的时候则骄横；贫困的时候就去偷窃，骄横的时候就会淫乱。礼，根据人情而制定一些可以控制的法规，以此来提防民众越轨行事。所以圣人制定了一套关于富贵贫贱的法则，能够让百姓在富贵的时候不骄横，贫穷而不至于困顿，富贵而不对比自己还富贵的人怨恨，所以违法作乱的事情也就慢慢消亡了。”

二

【原文】

子云：“君子贵人而贱己，先人而后己，则民作让。故称人之君曰君，自称其君曰寡君①。”

【注释】

①寡君：寡君意为鄙国国君。

【译文】

孔子说：“君子会尊重他人而贬抑自己，遵循先人后己的原则，所以民众才会有谦让的风气。因此称他国的君主为国君，对别国称自己的君主为寡君。”

三

【原文】

子云：“善则称人，过则称己，则民不争。善则称人，过则称己，则怨益亡。《诗》云：‘尔卜尔筮，履无咎言①。’”子云：“善则称人，过则称己，则民让善。《诗》云：‘考卜惟王，度是镐京。惟龟正之，武王成之。’”子云：“善则称君，过则称己，则民作忠。《君陈》曰：‘尔有嘉谋嘉猷②，入告尔君于内，女乃顺之于外，曰：此谋此猷，惟我君之德。於乎！是惟良显哉！’”子云：“善则称亲，过则称己，则民作孝。《大誓》曰：‘予克纣，非予武，惟朕文考无罪。纣克予，非朕文考有罪，惟予小子无良。’”

【注释】

①尔卜尔筮，履无咎言：引自《诗经·卫风·氓》。此处想用无咎兆明不争不怨之意。

②猷（yóu）：计划，打算。

【译文】

孔子说："有好事就归功于他人，有错误就归咎于自己，那么民众就不会出现纷争；有好事就归功于他人，有错误就归咎于自己，那么怨恨就会慢慢消亡。《诗经》上说：'你又占卜又占筮，卦兆就没有不吉利之言。'"孔子说："有好事就归功于他人，有错误就归咎于自己，那么民众就能学会谦让这种美德。《诗经》上说：'用龟占卜事情的是武王，他所谋划的是定都镐京的事情。只有龟兆来卜定这个计划，武王才能够完成这个计划。'"孔子说："有好事就说是君主做的，有错误就归咎于自己，那么百姓就会谦让忠诚。《尚书·君陈》说：'如果你有不错的计划和方法，就要告知你的君主，你在外面实行这个计划的时候，说这个计谋、这个方法，只有我贤德的君主才能够想出来。呜呼，贤良君主的圣明就显现了。'"孔子说："有好事就说是父母做的，有坏事就归咎于自己，那么百姓就能够兴起孝心。《尚书·大誓》说：'我战胜纣王，并不是因为我的武力，而是我的父亲原本就无罪。商纣攻克了我，并不是因为我的父亲有罪，而是因为做儿子的我不孝顺。'"

四

【原文】

子云："君子弛其亲之过而敬其美。"《论语》曰："三年无改于父之道，可谓孝矣。”高宗云：“三年其惟不言，言乃讙。”子云：“从命不忿[1]，微谏不倦，劳[2]而不怨，可谓孝矣。《诗》云：‘孝子不匮。’”

【注释】

①忿：不满。

②劳：操劳。

【译文】

孔子说：“君子就应该忘记自己父母犯下的错误，而敬爱父母美好的地方。”《论语》上说：“父亲去世后，儿子三年内依然执行父亲的主张，这就是所谓的孝顺。”高宗说：“父亲去世三年内不发布任何政令，一旦发布百姓都会非常喜悦。”孔子说：“遵从父母的命令而不能有任何不满，父母有过错要比较含蓄地劝告自己的父母，不能有任何疲倦的神色，操劳家事而不能有任何抱怨，这就是所谓的孝顺。《诗经》上说：‘孝顺的人孝心是永远不会匮乏的。’”

五

【原文】

子云：“父母在，不称老，言孝不言慈。闺门之内，戏而不叹。君子以此坊民，民犹薄于孝而厚于慈。”子云：“长民者，朝廷敬老则民作孝。”子云：“祭祀之有尸也，宗庙之有主也，示民有事也。修宗庙，敬祀事，教民追孝也。以此坊民，民犹忘其亲。”

【译文】

孔子说：“父母在世的时候，做子女的不敢称自己老。只说如何孝顺父母而不说父母如何慈爱儿女。在家里，只能欢笑而不能忧伤叹气。君子用这样的办法来规范民众的行为，可是民众中孝顺的还是少数，而乞求慈爱的则占多数。”孔子说：“治理民众的人在朝中尊敬老者，那么百姓间就能够兴起孝顺之风。”孔子说：“祭祀时有尸，宗庙里有神主，这是告诉人们有敬事的对象；修缮宗庙，尊敬地进行祭祀，教导百姓如何实行孝道，以此规范民众的行为，到最后百姓还有忘掉自己的父母的。”

六

【原文】

子云：“君子不尽利以遗民。《诗》云：‘彼有遗秉，此有不敛穧[①]，伊寡妇之利。’故君子仕则不稼，田则不渔，食时不力珍。大夫不坐羊，士不坐犬[②]。《诗》云：‘采葑采菲，无以下体。德音莫违，及尔同死。’以此坊民，民犹忘义而争利，以亡其身。”

【注释】

①穧（jì）：收割。

②大夫不坐羊，士不坐犬：源于郑玄说。郑玄注：“古者杀牲，食其肉，坐其皮。不坐犬羊，是不无故杀之。”

【译文】

孔子说：“君子不会将所有的利益都占有，而是给民众留下一些。《诗经》中说：‘你那里有遗留下来的禾把，这里有没有捆束的谷物，这些都是给寡妇留下的利益。’所以君子如果做官就不会种地，如果种田就不会捕鱼。在吃的方面并不追求山珍海味，大夫没什么原因也不会杀羊，士人没什么原因也不会杀狗。《诗经》中说：‘采葑采菲，不要再将根采取。不要违背昔日的山盟海誓，要和你至死不分离。’以此来教育民众，人们还有忘记道义去争夺名利，最终会引来杀身之祸的。”

七

【原文】

子云：“昏礼，婿亲迎，见于舅姑。舅姑承子以授婿，恐事之违也①。以此坊民，妇犹有不至者。”

【注释】

①恐事之违也：意为担心不听公婆的话。

【译文】

孔子说：“举行婚礼，女婿亲自到女方家迎接，拜见自己的岳父岳母，岳父岳母把女儿交到女婿手中，并因担心女儿不听公婆的话而进行教导。用这样的办法来防范百姓，却依然有做不到的妇女。”

中庸

《中庸》有着很高的研究价值。在儒家学者看来，中庸是至高无上的道德准则，是用来纠正极端倾向的重要方法，有利于维护世间的正道。

一

【原文】

天命之谓性，率性之谓道，修道之谓教。道也者，不可须臾离也，可离非道也。是故君子戒慎乎其所不睹，恐惧乎其所不闻。莫见乎隐，莫显乎微[①]。故君子慎其独也。喜怒哀乐之未发，谓之中；发而皆中节，谓之和。中也者，天下之大本也；和也者，天下之达道也。致中和，天下位焉，万物育焉。

【注释】

①微：细微。

【译文】

上天赋予人的秉性称为性，遵循天性而为便称为道，使人修身养道称为教。道，稍微离开一会儿都不可以，能够离开的就不是道了。所以君子行事在没有人看见的时候也应该谨慎小心，在别人听不见的地方也要戒慎畏惧。即便是在隐蔽的地方，即便是在细微的事情上，也不会离道而行。所以说，君子一个人的时候也是非常慎重的。喜怒哀乐没有表现出来就称为中，表现出来而且都符合礼节称为和。中，天下所有事物的根本；和，天下所有事物遵行的规律。到达中和的境地，天下所有事物才能够摆正位置，世间万物才能够繁育生长。

二

【原文】

子曰："中庸其至矣乎！民鲜[①]能久矣。"子曰："道之不行也，我知之矣：知者过之，愚者不及也。道之不明也，我知之矣：贤者过之，不肖者不及也。人莫不饮食也，鲜能知味也。”子曰：“道其不行矣夫。”

【注释】

①鲜（xiǎn）：少的意思。

【译文】

孔子说：“中庸大概是世界上最好的德行了吧！但人们很少遵行，这种情形已经很久了。”孔子说：“中庸之道不实行，我知道这是为什么：智慧的人做过了头，愚蠢的人却还没有达到要求；中庸之道不能被彰显，我知道这是为什么：贤能的人做过了头，不肖的人达不到要求。人没有不吃饭的，可是能够知道其中滋味的人很少。”孔子说：“中庸之道大概是无法实行了。”

三

【原文】

子路问强[1]。子曰：“南方之强与？北方之强与？抑而强与？宽柔以教，不报无道，南方之强也，君子居之。衽[2]金革，死而不厌，北方之强也，而强者居之。故君子和而不流，强哉矫[3]！中立而不倚，强哉矫！国有道，不变塞焉，强哉矫！国无道，至死不变，强哉矫！”

【注释】

①问强：子路喜欢争强好胜，所以称之为问强。

②衽（rèn）：卧席。

③矫：坚强貌。

【译文】

子路问强，孔子说："你问的是南方的强？还是北方的强？或者是你所说的那种强呢？教育他人要用宽容柔和的方式，不能对无礼的人进行报复，这是南方所崇尚的强，君子便持守这种强；将武器铠甲当作席子而卧，到死不会厌倦这种生活，这是北方所崇尚的强，是强者所拥有的。所以说君子喜欢柔和而不会失去自己的原则，这才是真正的强啊！保持中庸之道而不偏不倚，这才是真正的强啊！国家有道，不改变自己的志向，这就是真正的强啊！国家无道，却到死也不愿意改变自己的操守，这才是真正的强啊！"

四

【原文】

君子之道，费而隐。夫妇之愚，可以与知焉，及其至也，虽圣人亦有所不知焉。夫妇之不肖，可以能行焉，及其至也，虽圣人亦有所不能焉。天地之大也，人犹有所憾。故君子语大[①]，天下莫能载焉；语小，天下莫能破焉。《诗》云："鸢飞戾天，鱼跃于渊。"言其上下察也。君子之道，造端乎夫妇，及其至也，察乎天地。

【注释】

①大：指的是先王之道。

【译文】

君子的大道博大而精微，一般愚夫愚妇，也是可以知道的，但到了它的最高境界，即便是圣人也有不清楚的地方。普通男女虽然不贤明，也能实行君子之道，但要想达到极致的境界，即便是圣人，也无法做到。天地这么大，人们对其仍有不满足的地方，所以君子所说的“大”，大得天地也不能承载；所说的“小”，小得一点儿也分不开。《诗经》上说：“老鹰能够飞上天，鱼儿能够在深渊里游。”说的是君子之道昭著于天上地下。君子的道，开始于普通夫妇，而最高深的境界，却能洞察天地万物。

五

【原文】

子曰：“道不远人。人之为道而远人，不可以为道。《诗》云：‘伐柯伐柯，其则不远。’执柯以伐柯，睨而视之，犹以为远。故君子以人治人，改而止。忠恕违道不远，施诸己而不愿，亦勿施于人。君子之道四，丘未能一焉：所求乎子以事父，未能也；所求乎臣以事君，未能也；所求乎弟以事兄，未能也；所求乎朋友先施之，未能也。庸德之行，庸言之谨，有所不足，不敢不勉，有余不敢尽。言顾行，行顾言，君子胡不慥慥[1]尔！君子素其位而行，不顾乎其外。素富贵行乎富贵，素贫贱行乎贫贱，素夷狄行乎夷狄，素患难行乎患难：君子无入而不自得焉。在上位不陵下，在下位不援上，正己而不求于人，则无怨。上不怨天，下不尤人。故君子居易以俟命，小人行险以徼幸。”

【注释】

①慥（zào）慥：忠厚、诚实。

【译文】

孔子说：“道不能离开人。如果人们所遵循的道远离了人，那么这就不可以再称为道了。《诗经》上说：‘斧柄啊斧柄，斧柄的样式并没有远离你。’拿着斧柄去砍树做斧柄，应该没有什么差异。如果你斜着眼睛去看，会以为差异很大。所以君子喜欢根据做人的道理治理人，只要他能改正错误以行道。一个人如果忠诚宽恕，他离道就不远了，忠恕就是不愿意施加在自己身上的事情，也不要强加给别人。君子的道有四种，孔丘我连其中一种也没有做到：用我所要求侍奉父亲的准则来孝顺我的父亲，我没有做到；用我所要求臣子辅佐君王的准则来竭尽忠诚，我没有做到；用我所要求弟弟对哥哥做到的尊敬恭顺，我没有做到；用我所要求朋友应该先做到的，我没有做到。践行平常的道德，严谨平常的言语，还有不足之处，不敢不继续努力。言语要留余地，不要说过分的话。言语要符合行为，行为要符合言语，这样的君子怎么会不忠厚诚实呢！君子处于什么样的位置就做什么样的事情，不顾及其他外在的东西。处于富贵地位便做富贵人该做的事，处于贫贱地位便做贫贱人该做的事，处于夷狄的位置就做夷狄该做的事，处于患难的位置就做患难该做的事。君子不管处于什么样的位置都能够恰当地行事。处于高位而不会欺辱下位的人，处于下位也不会巴结高位的人，自己行为端正而不去苛求他人，就不会有什么抱怨。上不抱怨天，下不归罪于其他人。所以君子喜欢安于现状等待天命，小人则喜欢铤而走险妄图获得非分的东西。”

六

【原文】

子曰：“舜其大孝也与。德为圣人，尊为天子，富有四海之内，宗庙飨之，子孙保之①。故大德必得其位，必得其禄，必得其名，必得其寿。故天之生物，必因其材而笃焉。故栽者培之，倾者覆之。《诗》曰：‘嘉乐君子，宪宪令德。宜民宜人，受禄于天。保佑命之，自天申②之。’故大德者必受命。”

【注释】

①子孙保之：子孙因为祭祀先人而得到庇佑。

②申：重申。

【译文】

孔子说：“舜帝是一个大孝之人。德行可以比得上圣人，论地位被尊为天子，论财富可谓坐拥四海，舜帝去世后在宗庙接受人的祭拜，其子孙也因为祭祀他而得到庇佑。所以有大德行的人肯定能够得到高的地位，肯定能够得到财富，肯定会有好的名声，肯定会长寿。所以说天生万物，一定会根据他们不同的才华来给予他们相应的待遇。所以说要栽培德行高的人，倾覆德行差的人。《诗经》上说：‘美好快乐的君子，他的德行一定是光明磊落的！能够恰当地安置百姓、选择人才，上天便会庇护于他，还会给他更重的使命。’所以说有大德的人肯定会被授天命。”

七

【原文】

子曰：“好学近乎知，力行近乎仁，知耻近乎勇。知斯三者则知所以修身，知所以修身则知所以治人，知所以治人则知所以治天下国家矣。凡为天下国家有九经，曰修身也，尊贤也，亲亲也，敬大臣也，体群臣也，子庶民也，来百工也，柔远人也，怀诸侯也。修身则道立，尊贤则不惑，亲亲则诸父、昆弟不怨，敬大臣则不眩，体群臣则士之报礼重，子庶民则百姓劝，来百工则财用足，柔远人则四方归之，怀诸侯则天下畏之。齐明盛服，非礼不动，所以修身也；去谗远色，贱货而贵德，所以劝贤也；尊其位，重其禄，同其好恶，所以劝亲亲也；官盛任使[①]，所以劝大臣也；忠信重禄，所以劝士也；时使薄敛，所以劝百姓也；日省月试，既廪称事，所以劝百工也；送往迎来，嘉善而矜不能，所以柔远人也；继绝世，举废国，治乱持危，朝聘以时，厚往而薄来，所以怀诸侯也。凡为天下国家有九经，所以行之者一也。凡事预则立，不预则废。言前定则不跲[②]，事前定则不困，行前定则不疚，道前定则不穷。在下位不获乎上，民不可得而治矣；获乎上有道，不信乎朋友，不获乎上矣；信乎朋友有道，不顺乎亲，不信乎朋友矣；顺乎亲有道，反诸身不诚，不顺乎亲矣；诚身有道，不明乎善，不诚乎身矣。诚者，天之道也；诚之者，人之道也。诚者不勉而中，不思而得，从容中道，圣人也。诚之者，择善而固执之者也。博学之，审问之，慎思之，明辨之，笃行之。有弗学，学之弗能，弗措也；有弗问，问之弗知，弗措也；有弗思，思之弗得，弗措也；有弗辨，辨之弗明，弗措也；有弗行，行之弗笃，弗措也。人一能之，己百之；人十能之，己千之。果能此道矣，虽愚必明，虽柔必强。”

【注释】

①官盛任使：官宦盛众，足够差遣。

②跲（jiá）：绊倒。

【译文】

孔子说："喜爱学习接近于智慧，努力行动接近于仁义，知道廉耻接近于勇敢。知道这三点的人就知道如何提高自身修养，知道如何提高自身修养的人就知道如何管理他人，知道如何管理他人的人就知道如何管理国家。治理天下的法则有九条：提高自身修养，尊敬贤人，亲爱亲人，尊敬臣子，体恤臣民，爱护百姓，鼓励工匠，安抚远方的子民，心中装着四海的诸侯。提高自身的修养就能够树立道德，尊敬贤人就不被迷惑，亲爱亲人就不会被亲属怨恨，尊敬大臣就遇事不迷，体恤臣子才能够得到丰厚的报答，爱民如子才能够得到百姓的效力，鼓励工匠财物才能够充足，安抚远方子民才能够四方归顺，心怀四海诸侯才能够得到天下人的敬畏。穿戴干净华丽的服装，不符合礼的事情不做，这样才能够提高自身修养；远离谗言远离美色，轻视财物而看重德行，这就是劝诫贤人的办法；使亲人地位尊贵，俸禄优厚，和亲人的喜好保持一致，这就是亲爱亲人的方法；大臣的部属多得足够差遣，这便是劝诫大臣的方法；给忠诚的士人以丰厚俸禄，这是劝诫士人的方法；使用民力不违农时，又能做到薄赋，这是劝勉百姓的方法；每日自省每月考察，下发的粮饷要和其做的事情相称，这是劝诫工匠的办法；送往迎来，嘉奖善心而怜惜短处，这是安抚远方子民的办法；延续断后的大家庭（贵族世家），扶持将要灭亡的国家，按时接受朝聘，送去重礼收回薄礼，这是对待四海诸侯的办法。治理国家的法则有九条，实行这些条款的方法都一样。凡事只要有所准备就可以成功，不做准备就会失败。说话之前定好规矩就不会有障碍，做事情定好规矩就不会困窘，行动之前定好规矩就不会有差距，行道之前定好规则就不会路尽途穷。下属得不到上司的支持，就不能治理好百姓，得到上司的支持有方法：朋友不信任自己，上司也不会信任自己；得到朋友的信任有办法：不孝顺自己的父母，便得不到朋友的信任；孝顺父母也有办法：自己不诚实，就无法孝顺父母；让自己诚实也有办法：如果不能明确善道，就无法让自己诚实。诚实，天的德性。实践诚实，是人的德性。诚实的人不用勉强便可以做事适中，不用思考就能言语得当，从容不迫地符合中庸之道，这就是圣人了。诚实的人，会选择善良并且固执执行下去。广泛地学习，审慎地提问，慎重地思考，明确地分辨，忠诚地行动。可以不学，学了却无法掌握，不能停止啊；可以不问，问了却不能明白，不能停止啊；可以不思考，思考了却无法得到，不能停止啊；可以不分辨，分辨了却无法明晰，不能停止啊；可以不行动，行动了却无法彻底，不能停止啊！他人付出一分努力就能学会的，自己付出百分的努力；他人付出十分努力就能学会的，自己付出千分的努力。如果按照这个大道来实行，即便愚蠢的人也能变得聪明，即便柔弱的人也可以变得刚强。”

八

【原文】

唯天下至诚，为能尽其性；能尽其性，则能尽人之性；能尽人之性，则能尽物之性；能尽物之性，则可以赞天地之化育①；可以赞天地之化育，则可以与天地参矣。

【注释】

①育：繁育。

【译文】

只有天下至诚的人，才能发挥出自己的天性；能够彻底发挥自己天性的人，才能尽情发挥他人的天性；能够彻底发挥他人的天性，才能够彻底发挥万物的天性；能够彻底发挥万物的天性，才能帮助天地繁育万物；能够帮助天地繁育万物，就能和天地相匹配了。

缁衣

《缁衣》篇里都是孔子的言论，作者不详。有人说是孔子的孙子子思所作，也有人说是公孙尼子所作。本篇主要讲述了君子教化子民、臣子服侍君主以及安身立命的道理。

一

【原文】

子曰："夫民教之以德，齐之以礼，则民有格心。教之以政，齐之以刑，则民有遁心。故君民者，子以爱之，则民亲之；信以结之，则民不倍；恭以莅之，则民有孙[1]心。《甫刑》曰：'苗民匪用命，制以刑，惟作五虐之刑，曰法。'是以民有恶德，而遂绝其世也。"

【注释】

①孙（xùn）：通"逊"，顺。

【译文】

孔子说："用道德的方法教育民众，用礼仪的方法整顿民众，这样百姓就会有归附之心。用政令的方式教育民众，用刑罚的方式整顿百姓，那么百姓就会有逃避刑狱，免于责罚的心。所以君主像爱护自己的儿子一样爱护百姓，百姓才会亲近他；用诚信的方式团结百姓，百姓才不会背叛他；用谦恭的态度来对待百姓，百姓就会顺从他。《尚书·甫刑》上说：‘苗民不听从政令，就用刑罚来统治，制定了五种残酷的刑罚，称之为法。’所以那里百姓的德行都非常坏，于是后世便灭绝了。”

二

【原文】

子曰：“王言如丝，其出如纶①；王言如纶，其出如綍②。故大人不倡游言。可言也不可行，君子弗言也；可行也不可言，君子弗行也。则民言不危③行，而行不危言矣。《诗》云：‘淑慎尔止，不諐④于仪。’”

【注释】

①纶：丝制的绶带。

②綍（fú）：通“绋”，牵引棺木的绳索。

③危：通“诡”，违反的意思。

④諐（qiān）：罪过。

【译文】

孔子说：“国君的言语如果细如丝，传出去就会被放大像一条丝制的绶带；君主的言语如果像一条丝制的绶带，传出去就会像牵引棺木的绳索。所以说，处于高位的人不能说华而不实的话。可以说却不可以去做的话，君子不要说；可以做但不可以说的事，君子也不要做。这样一来，百姓所说的就不会违背所做的，所做的也不会违背所说的。《诗经》说：‘你的举止一定要小心谨慎，不可失了礼仪。’”

三

【原文】

子曰：“君子道人以言，而禁[1]人以行。故言必虑其所终，而行必稽其所敝，则民谨于言而慎于行。《诗》云：‘慎尔出话，敬尔威仪。’《大雅》曰：‘穆穆文王，於，缉熙敬止。’”

【注释】

①禁：谨慎，防止。

【译文】

孔子说：“君子引人向善用言语，防止人学坏用行动。所以说话的时候一定要考虑后果，做事的时候一定要觉察是否有坏处，只有这样百姓才能谨言慎行。《诗经》说：‘说出去的话一定要谨慎，警惕你的威仪。’《大雅》说：‘多美好的文王，啊！光明磊落而又举止恭敬。’”

四

【原文】

子曰：“大臣不亲，百姓不宁，则忠敬不足，而富贵已过也。大臣不治，而迩臣比[1]矣。故大臣不可不敬也，是民之表也。迩臣不可不慎也，是民之道也。君毋以小谋大，毋以远言近，毋以内图外，则大臣不怨，迩臣不疾，而远臣不蔽矣。叶公之顾命[2]曰：‘毋以小谋败大作，毋以嬖御人[3]疾庄后，毋以嬖御士疾庄士、大夫、卿士。’”

【注释】

①比：私下相亲。

②顾命：临终前的遗书。

③嬖（bì）御人：爱妾。

【译文】

孔子说：“君主和大臣不亲和，百姓就不会安宁，这是臣子与君主之间尊敬和忠诚不足，而富贵过分造成的。大臣不理朝政，近臣就会结党营私。所以不可以不尊敬大臣呀，他们是百姓的表率。在选择臣子的时候，君主不可以不慎重，他们也是引导民众向善的人。君主不能和小臣议大事，也不能和远臣谋近事，不能和内臣谋外事，这样一来大臣们就没有什么怨言了，近臣不会有非议，远臣也不会被蒙蔽。叶公的临终遗书上说：‘不要用小臣的计谋坏了你的大臣的作为，不要因为爱妾而怀疑庄重的后妃，不要因爱臣而猜测管事的士、大夫、卿。’”

五

【原文】

子曰：“民以君为心，君以民为体。心庄[1]则体舒，心肃则容敬。心好之，身必安之；君好之，民必欲之。心以体全，亦以体伤；君以民存，亦以民亡。《诗》云：‘昔吾有先正，其言明且清。国家以宁，都邑以成，庶民以生。’‘谁能秉国成，不自为正，卒劳百姓。’《君雅》曰：‘夏日暑雨，小民惟曰怨。资冬祁寒，小民亦惟曰怨。’”

【注释】

①庄：通“壮”，强壮。

【译文】

孔子说：“百姓把君主当作自己的心，君主把百姓当作自己的身体。心强大了身体才会舒坦，心严肃了容止才会恭敬。心喜欢什么，身体也一定会安于什么；君主喜欢的，百姓也一定会喜欢。心因身体而完整，也会因身体而受伤；君主依靠民众而生，也因民众而亡。《诗经》说：‘昔日我们有一位贤君，他的语言清楚而且明确。国家得以安宁，都城得以建成，百姓得以生存。’‘谁可以很好地执掌国政，不以自己为中心，尽慰劳百姓。’《尚书·君雅》说：‘夏天炎热多雨，百姓就会抱怨连天；冬天风霜寒冷，百姓也会抱怨连天。’”

六

【原文】

子曰：“言有物[①]而行有格[②]也，是以生则不可夺志，死则不可夺名。故君子多闻，质而守之；多志，质而亲之；精知，略而行之。《君陈》曰：‘出入自尔师虞[③]、庶言同。’《诗》云：‘淑人君子，其仪一也。’”

【注释】

①物：事实。

②格：法规。

③师虞：众人的谋略。

【译文】

孔子说：“说话有事实依据，行动有遵循的法则，因此活着的时候不能剥夺他的志向，死了不能剥夺他的名声。所以君子要多听取意见，好的就吸取；多学习知识，正确的就不厌于学与问；思考所学的知识，最精要的就去实践它。《尚书·君陈》说：‘制定政令一定要听取众人的意见，所有人都赞同了才能够实行。’《诗经》上说：‘那位善良的人君子，他的威仪自始至终都是一致的。’”

七

【原文】

子曰：“唯君子能好其正，小人毒其正。故君子之朋友有乡，其恶有方。是故迩者不惑，而远者不疑也。《诗》云：‘君子好仇[①]。’”

【注释】

①仇（qiú）：匹。

【译文】

孔子说：“只有君子喜欢纠正自己错误的人，小人对于那些纠正自己错误的人充满了仇恨。所以，君子喜欢结交朋友有一定原则，讨厌别人有一定的道理。因此和君子交往心里就不会充满疑惑，而那些远离君子的人心里也不会产生疑虑。《诗经》中说：‘君子肯定能够得到和自己志趣相投的好配偶。’”

八

【原文】

子曰："南人有言，曰：'人而无恒，不可以为卜筮。'古之遗言与？龟、筮犹不能知也，而况于人乎？《诗》云：'我龟既厌，不我告犹①。'《兑命》曰：'爵无及恶德，民立而正事。''纯而祭祀，是为不敬，事烦则乱，事神则难。'《易》曰：'不恒其德，或承之羞。''恒其德侦②，妇人吉，夫子凶。'"

【注释】

①犹：道。

②侦：问。

【译文】

孔子说："南方人有这么一句话：'一个人如果情性无常，就不能为其占卜。'这或许就是古人留下来的遗言吧？龟卜占筮尚且无法知道吉凶，更何况是人呢？《诗经》中说：'灵龟已经厌恶这样的生活，不告诉我吉凶了。'《尚书·兑命》说：'爵位不能给那些德行恶劣的人，人们受爵为官之后是要掌管事务的。''专一求神祭祀，这是对神灵的大不敬啊。事情因烦乱而坏了法典，侍奉神灵也很难得到神灵的庇佑。'《易经》说：'无法长久保持德行，就可能承受很大的屈辱。''占问长久保持德行的，对于女人就吉利，对于男子就有凶险。'"

奔丧

奔丧，汉族丧礼的仪式之一。本篇所记载的主要是士人的丧礼，卿大夫、君王的奔丧仪式，只是在这个基础上有所改动。

一

【原文】

奔丧之礼：始闻亲丧，以哭答使者，尽哀，问故，又哭，尽哀。遂行，日行百里，不以夜行①。唯父母之丧，见星而行，见星而舍。若未得行，则成服而后行。过国，至竟哭，尽哀而止，哭辟市朝。望其国竟哭。至于家门，入门左，升自西阶，殡东西面坐哭，尽哀，括发，袒。降堂东即位，西乡哭，成踊②。袭，绖于序东，绞带，反位，拜宾，成踊，送宾，反位。有宾后至者，则拜之，成踊，送宾皆如初。众主人、兄弟皆出门，出门哭止，阖门。相者告，就次。于又哭，括发，袒，成踊。于三哭，犹括发，袒，成踊。三日成服，拜宾，送宾，皆如初。

【注释】

①不以夜行：虽然悲伤，但为避害，也不宜夜间行路。

②踊（yǒng）：双脚跳起，表达悲痛的方式。

【译文】

奔丧礼仪：刚开始听到亲人去世的消息，用哭泣的方式来回答传信的人，尽显其悲哀之情，然后询问送信者亲人过世的原因，随后再哭，尽情地发泄哀伤。然后起身赶路，日行百里，为了安全夜间不行路。只有父母的丧礼，才能在黎明星星还没有隐没时就前行，傍晚星星出来时才休息。如果没有立刻奔丧，就到正式穿丧服之后再启程。每路过一个国家，都会痛哭不已，将心里的悲哀全部抒发出来。哭的时候应该躲开市集或因公集会的场所。看到自己国家时要放声大哭。到了家门口，从左边门进去，从西面台阶上堂，走到棺木东边朝西跪下大哭，尽情地悲伤，然后用麻绳束起头发，露出左臂，从西阶下堂然后再从东阶去往主人的位置，面朝西痛哭，成踊礼。然后将袒开的衣服穿好，在东厢房系好首绖和腰绖，又系好绞带，再返回自己的位置，拜谢前来吊唁的宾客，成踊礼，送走宾客，再返回自己的位置。如果有后来吊唁的宾客，也要再次拜谢，成踊礼，送宾，和刚开始的程序一样。所有的主人兄弟都出殡宫门后哭声停止，然后关上门。赞礼人发出号令，家人就倚庐。哭的时候，用麻绳束发，露出左臂，成踊礼。三哭时，还是用麻绳束起头发，露出左臂，成踊礼。第三天正式穿戴好丧服，拜送宾客礼仪都和刚开始时一样。

二

【原文】

奔丧者不及殡，先至墓，北面坐哭，尽哀。主人之待之也，即位于墓左。妇人墓右。成踊，尽哀，括发，东即主人位，绖，绞带，哭，成踊，拜宾，反位，成踊。相者告事毕。遂冠，归，入门左，北面哭，尽哀，括发，袒，成踊，东即位，拜宾成踊。宾出，主人拜送。有宾后至者，则拜之，成踊，送宾如初。众主人、兄弟皆出门，出门哭止。相者告，就次。于又哭，括发，成踊。于三哭，犹括发，成踊。三日成服。于五哭[1]，相者告事毕。为母所以异于父者，壹括发，其余免以终事，他如奔父之礼。

【注释】

①五哭：整齐穿戴丧服的那一天是四哭，第二天则是五哭。

【译文】

奔丧的人没来得及在殡棺期间赶到的话，要先去亲人的墓地，在墓前面朝北坐而痛哭，尽情发泄悲哀。在家的主人陪同奔丧者，在坟墓左边就位。妇女则在右边。成踊礼，尽显悲哀，用麻绳束起头发，去东面就主人位，系上腰经和首经，系上绞带，成踊礼，拜谢宾客，再回到自己的位置，成踊礼。赞礼的人宣告结束。于是奔丧者戴上发冠，回到家，从左边门进，面朝北而哭，尽显悲哀，用麻绳束发，露出左臂，成踊礼，回到主人位，拜谢宾客，成踊礼。宾客出来，主人还要拜送。有晚到的宾客，主人还要继续拜谢，成踊礼，拜送宾客，就和开始时一样。主人和兄弟们都出门后哭声就要停止。赞礼的人发出号令，大家就倚庐。再哭时，用麻绳束发，成踊礼。三哭时，还是用麻绳束发，成踊礼。第三天就要穿戴好丧服。五哭之后，赞礼的人宣告仪式结束。母亲葬礼和父亲葬礼的唯一区别，便是从墓地回来的时候用麻绳束起头发，其余时候都是佩戴免，其他的礼仪都和奔父丧一样了。

三

【原文】

凡为位[1]，非亲丧，齐衰以下皆即位哭，尽哀，而东免，绖，即位，袒，成踊。袭，拜宾，反位，哭，成踊，送宾，反位。相者告，就次。三日五哭卒。主人出送宾，众主人、兄弟皆出门，哭止。相者告事毕，成服，拜宾。若所为位家远，则成服而往。

【注释】

①凡为位：因为私事而无法前来奔丧的人在闻丧之地哭泣，而为位者必为齐衰以下者。

【译文】

凡排列亲疏哭位，如果不是父母丧事，自服齐衰丧以下的亲属都在各自的哭位哭泣，尽情地发泄哀情，然后走到东厢房内摘下冠戴上免，系上首绖与腰绖，再回到自己的位置，露出左臂，成踊礼。而后穿戴好衣服，拜谢宾客，再返回到自己的位置，成踊礼，拜送完宾客返回自己的位置。赞礼的人发出号令，大家就倚庐。三天五哭之后，主人出来拜送宾客，众主人和兄弟们都出门后，哭声也就停止了。赞礼的人宣告仪式结束，穿戴好丧服，拜谢宾客。如果所排列哭位离家比较远的亲属，可以正式穿戴丧服而后再去奔丧。

问丧

本篇记录了居丧时期的各种礼节，以及制定这些礼节的原因。阅读《问丧》不仅可以了解古代丧礼的相关事宜，还能发现其中一些礼节在现代的遗存。

一

【原文】

亲始死，鸡，斯[①]，徒跣[②]，扱上衽[③]，交手哭，恻怛[④]之心，痛疾之意，伤肾，干肝，焦肺，水浆不入口，三日不举火，故邻里为之糜粥以饮食之。夫悲哀在中，故形变于外也；痛疾在心，故口不甘味，身不安美也。

【注释】

①鸡，斯：是“笄，纚”二字之误。

②徒跣（xiǎn）：光着脚。

③上衽（rèn）：指衣服的前襟。

④恻怛（dá）：悲伤。

【译文】

父母刚刚去世，（去冠）留笄和缠发髻的缯，光着脚，把深衣的前襟放进腰带间，双手交替捶胸大哭，哀伤的心情，痛苦的意志，伤害到肾，枯萎了肝，使肺焦躁，不喝水汤，三天不生火做饭，所以邻居给他们送来稀饭让他们食用。只是他们心里十分哀伤，所以外在的形象也发生了改变；他们痛彻心扉，所以东西吃进嘴里也不知道是何滋味，身上穿得再华美也无法安宁。

二

【原文】

或问曰：“死三日而后敛者，何也？”曰：“孝子亲死，悲哀志懑[①]，故匍匐而哭之，若将复生然，安可得夺而敛之也？故曰三日而后敛者，以俟其生也。三日而不生，亦不生矣。孝子之心亦益衰矣。家室之计，衣服之具亦可以成矣，亲戚之远者亦可以至矣。是故圣人为之断决，以三日为之礼制也。”

【注释】

①懑（mèn）：烦闷。

【译文】

有人问：“亲人去世三天之后才入殓，这是什么原因呢？”回答说：“孝子刚刚死了父母，心里充满了哀伤的情绪，所以会趴在亲人的尸首上大声哭，好像亲人将要复活一样，怎能将子女的哀伤之情剥夺而把他的父母入殓呢？所以才规定亲人去世三天后再入殓，这段时间便等待着亲人的复活。三天之后还没有复活的，也就不能复活了，子女的希望也逐渐丧失。合计家中的所有，置办应该具备的衣服，远方的亲戚也都可以来了。所以圣人才做出决定，将亲人去世三天之后才入殓作为丧礼的制度。”

三

【原文】

或问曰：“冠者不肉袒，何也？”曰：“冠，至尊也，不居肉袒之体也，故为之免以代之也。然则秃者不免，伛者不袒，跛者不踊，非不悲也；身有锢疾，不可以备礼也。故曰丧礼唯哀为主矣。女子哭泣悲哀，击胸伤心；男子哭泣悲哀，稽颡[①]触地无容，哀之至也。”

【注释】

①颡（sǎng）：额头。

【译文】

有人问："戴着冠的人不能露肉袒臂，这是什么原因呢？"回答说："冠是最尊贵的，不能佩戴在露肉袒臂的人身上，所以又制作了免来代替冠。可是没有头发的人不能戴免，驼背的人不能露臂，跛脚的人不能蹦跳，这并不是他们不悲痛，而是因为他们身有残疾无法让礼仪完备。所以，丧礼上只有悲痛是最主要的。女子以哭泣显示悲哀，以捶打心口表示痛心；男子以哭泣显示悲哀，并且行磕头礼的时候将头碰地不见面容，这是哀伤到极点的缘故。"

四

【原文】

或问曰："杖者以何为也？"曰："孝子亲丧，哭泣无数，服勤三年，身病体羸，以杖扶病也。则父在不敢杖矣，尊者在故也。堂上不杖[1]，辟尊者之处也；堂上不趋，示不遽也。此孝子之志也，人情之实也。礼义之经也，非从天降也，非从地出也，人情而已矣。"

【注释】

①堂上不杖：母亲去世的时候，堂内不敢杖。

【译文】

有人问："服丧时为什么要拄杖呢？"回答说："孝子刚刚失去亲人，不断地哀伤哭泣，服丧悲痛长达三年的人，身体变得虚弱不堪，要用杖来支撑病弱的身体。如果孝子的父亲还在的话就不能拄杖了，因为父亲作为家中尊者还健在。（为母服丧）堂上也不能拄杖，因为堂上是尊者父亲所在的地方。堂上也不可以快步向前走，以此来显示自己不匆忙的模样。这都是孝子们的心愿，也是人之常情啊！礼仪最基本的原则，并不是从天上掉下来的，也不是从土里长出来的，而是实实在在的人情而已。”

大学

作为儒家经典之作，《大学》提出了正心诚意、格物致知、修身齐家治国平天下的思想，其中修身为根本，平天下为最终目的。《大学》集中体现了古代读书人远大的政治抱负和理想，是后人研究儒学思想的重要史料。

一

【原文】

大学①之道，在明明德，在亲民，在止于至善。知止而后有定，定而后能静，静而后能安，安而后能虑，虑而后能得②。物有本末，事有终始，知所先后，则近道矣。

【注释】

①大学：博学。

②得：得到。

【译文】

学习的目的，在于彰明内心的美好德行，在于使人自新，在于使人处在最美善的境界中。知道所处的道德境界才能够确定志向，确定志向后才能静下心来，静下心来才能让性情安定，性情安定后才能思虑周全，思虑周全才能有所得。世间万物都有本末，万事都有始终，知道了它们的先后顺序，就能够接近学习的目的了。

二

【原文】

古之欲明明德于天下者，先治其国；欲治其国者，先齐其家；欲齐其家者，先修其身；欲修其身者，先正其心；欲正其心者，先诚其意；欲诚其意者，先致其知[①]，致知在格物。物格而后知至，知至而后意诚，意诚而后心正，心正而后身修，身修而后家齐，家齐而后国治，国治而后天下平。自天子以至于庶人，壹是皆以修身为本。其本乱而末治者，否矣。其所厚者薄，而其所薄者厚，未之有也！此谓知本，此谓知之至也。

【注释】

①致其知：指的是致良知。

【译文】

古代想要将美好德行推广到天下的人，一定要先治理好自己的国家；想要治理好自己的国家，就必须治理好自己的家族；想要整顿好自己的家族，就必须先提高自身的修养；想要提高自身的修养，就必须端正自己的心态；想要端正自己的心态，就必须要意念真诚；想要意念真诚，就必须要有良知，想要有良知就必须去除物欲。去除了物欲才能够换来良知，得到了良知才会意念真诚，意念真诚后才能摆正心态，摆正心态后才能够提高修养，提高修养后才能够整顿家族，整顿好家族之后才能治理国家，治理国家之后才能够使天下太平。从天子到普通人，都是以修身为根本。根本乱而去治理末端，那是不可能的事。该用厚力的用薄力，该用薄力的用厚力，这是从来没有过的事理！这就是知道根本，这就是良知已经到来。

三

【原文】

所谓诚其意者，毋自欺也。如恶恶臭，如好好色，此之谓自谦。故君子必慎其独也。小人闲居为不善，无所不至，见君子而后厌①然揜②其不善而著其善。人之视己，如见其肺肝然，则何益矣！此谓诚于中，形于外，故君子必慎其独也。曾子曰："十目所视，十手所指，其严乎！"富润屋，德润身，心广体胖③，故君子必诚其意。

【注释】

①厌：消沮闭藏之貌。

②揜（yǎn）：通"掩"，掩藏。

③胖（pán）：安泰舒适的意思。

【译文】

所谓意念真诚，就是不能自欺欺人。就好像厌恶恶臭的东西，就好像喜欢美色，这便是自求快意满足。所以君子在独处时也一定要慎重！小人独处的时候总喜欢做不好的事情，无所不为，看到君子后便将自己的小人之心掩藏起来而展露出善良的一面。而在外人看来，就好比看穿了他的肝肺一样，这么做对他又有什么好处呢？这便是所谓的只有内在真诚了，外在才会表现得真诚，所以说君子独处时一定要小心谨慎。曾子说："独处的时候也要当作有很多双眼睛在看着自己，有很多双手在指正自己，多么严厉可畏啊！”财富能够装扮他的屋子，德行能够润泽他的身体，只有心胸宽阔了身体才能感到安逸，所以说君子一定要做到意念真诚。

四

【原文】

所谓修身在正其心者：身有所忿懥[1]，则不得其正；有所恐惧，则不得其正；有所好乐，则不得其正；有所忧患，则不得其正。心不在焉，视而不见，听而不闻，食而不知其味。此之谓修身在正其心。

【注释】

①忿懥（zhì）：愤怒。

【译文】

提高自身修养的关键在于端正自己的心态：内心充满愤怒，无法端正心态；内心充满恐惧，不能端正心态；内心充满嗜好喜乐，不能端正心态；内心充满忧患，不能端正心态。心不在所做的事情上，看见了当作没看见，听见了当作没听见，吃东西都无法尝出其中的味道。这就说明要提高自身修养就要端正自己的心态。

五

【原文】

所谓齐其家在修其身者，人之其所亲爱而辟焉，之其所贱恶而辟[1]焉，之其所畏敬而辟焉，之其所哀矜而辟焉，之其所敖惰而辟焉。故好而知其恶，恶而知其美者，天下鲜矣！故谚有之曰：“人莫知其子之恶，莫知其苗之硕。”此谓身不修不可以齐其家。

【注释】

①辟：犹偏。

【译文】

整顿家族的关键在于提高自身的修养，是因为人们对于比较亲的人往往都有些偏袒，对于不喜欢的人往往会有一些偏见，对于自己敬畏的人难免偏敬，对于自己所可怜的人则难免偏怜，对于自己轻视的人难免偏轻。所以说知道喜欢之人的缺点，知道厌恶之人的优点的人，天下间是很少的！因此有谚语说：“人们不会知道自己儿子的短处，也不知道自己禾苗的繁茂！”这就说明自身修养没有提高就无法整顿家族。

六

【原文】

所谓治国必先齐其家者，其家不可教，而能教人者无之。故君子不出家而成教于国。孝者所以事君也，弟者所以事长也，慈者所以使众也。《康诰》曰：“如保赤子。”心诚求之，虽不中，不远矣。未有学养子而后嫁者也。一家仁，一国兴仁；一家让，一国兴让；一人贪戾，一国作乱：其机如此。此谓“一言偾[①]事，一人定国”。尧、舜率天下以仁，而民从之；桀、纣率天下以暴，而民从之。其所令反其所好，而民不从。是故君子有诸己，而后求诸人；无诸己而后非诸人。所藏乎身不恕，而能喻诸人者，未之有也。故治国在齐其家。《诗》云：“桃之夭夭，其叶蓁蓁[2]。之子于归，宜其家人。”宜其家人，而后可以教国人。《诗》云：“宜兄宜弟。”宜兄宜弟，而后可以教国人。《诗》云：“其仪不忒，正是四国。”其为父子、兄弟足法，而后民法之也。此谓治国在齐其家。

【注释】

①偾（fèn）：败坏。

②蓁（zhēn）蓁：树木繁茂的样子。

【译文】

要想治理国家就必须先整顿自己的家族，因为自己的家族没有整顿好，却能够教育他人的事情是不存在的。所以，君子不出家门就能够在国中成就教化：孝顺的人要这样服侍君主，做弟弟的要这样服侍兄长，慈祥的人要这样对待百姓。《尚书·康诰》说：“就好像保护刚出生的婴儿一样。”真心实意地追求满足民众要求，虽然不能完全一样，但也不会差太远。从来没有先学会如何养育子女再出嫁的事情。君主的家庭仁爱，那么国家就会盛行仁爱；君主的家庭谦让，那么国家就会盛行谦让；君主贪婪暴戾，一个国家就会开始暴乱：事情的关键就是这样。这就是我们所说“一句话就能败坏一件事情，一个人就能安定整个国家”的意思。尧帝、舜帝统率天下使用的是仁爱，所以百姓也会仁爱；桀帝、商纣王统率天下使用的是暴力，所以百姓便会跟着使用暴力。君主的命令和君主的爱好相左，百姓就不会听命于他。所以说君子只有自己做到，才能要求他人做到，自己不去沾染，才能禁止他人沾染。自己无法宽恕别人，却让他人学着宽恕，这是从来没有的事情。所以说，治理国家的关键就在于整顿自己的家族。《诗经》说：“桃花开得非常艳丽，叶子长得也十分繁茂。出嫁的女儿，就能够和自己的夫家和睦相处。”和夫家和睦相处，才能够施教于国人。《诗经》说：“和兄弟和睦相处。”和兄弟和睦相处，然后才能够施教于国人。《诗经》说：“仪容没有出错的地方，他才能平定四方。”自己做父亲、做儿子、做兄弟都值得效法，只有这样民众才能效仿于他。这就是治理国家必须先整顿家族的道理。

冠义

冠义是成年礼的意思，古时候人们非常看重成年礼。实行冠礼之前，要通过占卜选择良辰吉日和最适合的加冠者。冠礼举行完毕后，还要拜见母亲、兄弟，叩拜君主、卿大夫，这样才算是完成了成年礼。

一

【原文】

凡人之所以为人者，礼义也。礼义之始，在于正容体，齐颜色[①]，顺辞令。容体正，颜色齐，辞令顺，而后礼义备。以正君臣，亲父子，和长幼。君臣正，父子亲，长幼和，而后礼义立。故冠而后服备，服备而后容体正，颜色齐，辞令顺。故曰“冠者礼之始也”。是故古者圣王重冠。

【注释】

①齐颜色：表情恰当。

【译文】

人之所以成为人，是因为礼仪的存在。礼仪初始，在于端正容貌体态，在于表情的恰当，在于言辞的和顺。容貌体态端正，表情恰当，言辞和顺，这样礼仪才算完备。礼仪能够端正君臣关系，能够亲善父子关系，能够和顺长幼关系。君臣之间的关系正，父子之间的关系亲，长幼之间的关系和，这样礼仪才能真正树立起来。因此行了冠礼服装才能齐备，服装齐备了容貌体态才能端正，表情才能恰当，言辞才能够和顺。所以说“冠礼是礼仪的开始”。这也是古时候贤能君主重视冠礼的原因。

二

【原文】

古者冠礼，筮日[①]，筮宾，所以敬冠事。敬冠事所以重礼，重礼所以为国本也。

【注释】

①筮日：古时候的一种占卜方式，为举行礼仪选择良辰吉日。

【译文】

古时候在举行冠礼的时候，要通过占卜选择良辰吉时，通过占卜来确定加冠的宾客，以此来表示对冠礼的尊敬。尊敬冠礼才能够重视礼仪，重视礼仪才能够立国安邦。

三

【原文】

已冠而字之，成人之道也。见于母，母拜之；见于兄弟，兄弟拜之：成人而与为礼也。玄冠、玄端[1]，奠摯[2]于君，遂以摯见于乡大夫、乡先生[3]，以成人见也。

【注释】

①玄端：黑色的礼服。

②奠摯：将摯摆放在地上。

③乡大夫、乡先生："乡"是"卿"字之误。乡大夫指现任卿大夫；乡先生指已经退休的卿大夫。

【译文】

举行冠礼之后还要为受冠者选字，这是成人的必经之路。冠礼完毕后，受冠者要去拜见母亲，母亲也要向他行拜礼，拜见兄弟，兄弟也要向他行拜礼，这代表受冠者已经成人而同他行成人礼。受冠者头上戴着玄冠，身上穿着玄端服，把礼物放在地上以此来拜见国君，随后还要拿着礼物去拜见现任卿大夫和已经退休的卿大夫，都以成人礼相见。

昏义

《昏义》主要记录娶妻的礼仪，强调妇顺的道理。古时候，婚礼都是在黄昏举行的，男女从迎亲到完婚有多种礼仪。

一

【原文】

昏礼者，将合二姓之好，上以事宗庙，而下以继后世也，故君子重之。是以昏礼，纳采、问名、纳吉、纳征、请期①，皆主人筵几于庙，而拜迎于门外，入，揖让而升，听命于庙，所以敬慎、重正昏礼也。

【注释】

①请期：古时候，男方通过占卜的方式来选择婚期，然后让媒人将婚期告诉女方，以征得女方同意，以此来表示对女方的尊重。

【译文】

婚礼，就是两个异姓家族结下欢好，上以祭祀祖先，下以繁衍后代，所以君子非常看重它。因此，婚礼中会采用纳采、问名、纳吉、纳征、请期这几道仪式，女方的家人要在宗庙里摆下筵席，在宗庙门口迎接男方的媒人，媒人进来后，彼此作揖然后进入庙堂，并且在宗庙里听取男方让媒人转达的意见，以此表示对这门婚事的尊敬、慎重以及重视。

二

【原文】

父亲醮①子而命之迎，男先于女也。子承命以迎，主人筵几于庙，而拜迎于门外。壻②执雁入，揖让升堂，再拜奠雁，盖亲受之于父母也。降，出。御妇车，而壻授绥，御轮三周。先俟于门外。妇至，壻揖妇以入。共牢而食，合卺而酳③，所以合体，同尊卑，以亲之也。

【注释】

①醮（jiào）：古代婚礼上的一种礼仪。

②壻（xù）：女婿。

③合卺（jǐn）而酳（yìn）：古代婚礼上的一种礼节。

【译文】

父亲为儿子酹酒并命他前去迎亲，表示男子要先迎娶而后女子相随而来。儿子奉了父亲的命令前去迎亲，女方家人在宗庙里摆好了筵席，并且在庙门外迎接女婿进门。女婿手里拿着雁进入庙门，作揖谦让后进入庙堂，摆下雁，向女子行再拜礼，意思是将女子从女方父母那边接过来。女婿下堂，走出庙门。女婿为女子驾车，并且要把绥递给女子，驾车转了三周后便换车夫驾车。女婿先行到家在门外等候，女子来到，女婿作揖请女子进门。新婚夫妇共吃一牲，同一个瓠瓜剖成的两半，两人各持一瓢盛酒而饮，代表着夫妇同体，同尊卑，以此来表示夫妇相爱。

三

【原文】

敬慎、重正，而后亲之，礼之大体而所以成男女之别[①]，而立夫妇之义也。男女有别，而后夫妇有义；妇夫有义，而后父子有亲；父子有亲，而后君臣有正。故曰“昏礼者礼之本也。”

【注释】

①别：区别。

【译文】

恭敬谨慎、尊重正礼，而后夫妇才会相亲相爱，这是礼主要的地方并以此来区别男女，以此来树立夫妇间的道义。男女有别，然后才能确定夫妇间的道义；夫妇有义，然后父子才会相处和睦；父子相处和睦，君臣间的关系才会端正。所以说："婚礼，是礼的根本。"

四

【原文】

夙兴，妇沐浴以俟见。质明，赞见妇于舅姑。妇执笲[①]枣、栗、段修以见。赞醴妇。妇祭脯醢[②]，祭醴，成妇礼也。舅姑入室，妇以特豚馈，明妇顺也。厥明，舅姑共飨妇以一献之礼，奠酬。舅姑先降自西阶，妇降自阼阶，以著代也。

【注释】

①笲（fán）：圆形的竹器。

②脯醢（fǔ hǎi）：下酒的菜肴。

【译文】

新婚第二天清晨，新妇沐浴之后等待着拜见公婆。天明之后，赞礼的人向公婆报告新妇前来拜见。新妇手里拿着盛有枣子、栗子、肉干的容器来拜见。赞礼的人会代替公婆向新妇行醴礼。新妇先用菜肴祭祀，然后又以美酒祭礼，这样之后算是完成新妇的礼节。公婆进屋里，新妇将一只煮好的小猪敬给公婆吃，以此表明新妇顺从公婆的心意。第二天，公婆慰劳新妇，行一献之礼，而新妇应该放下公婆给的酒不再饮用。公婆先从西面的台阶走下堂，新妇则从东面的台阶走下堂，以此代表新妇在这个家的主妇地位已经确立。

五

【原文】

古者天子，后立六宫，三夫人、九嫔、二十七世妇、八十一御妻①，以听天下之内治，以明章妇顺，故天下内和而家理。天子立六官，三公、九卿、二十七大夫、八十一元士，以听天下之外治，以明章天下之男教，故外和而国治。故曰："天子听男教，后听女顺；天子理阳道，后治阴德；天子听外治，后听内职。教顺成俗，外内和顺，国家理治，此之谓盛德。"

【注释】

①御妻：后宫的女官名。

【译文】

古时候的君王，王后位下面设有六宫，夫人三个、嫔妃九个、世妇二十七个、御妻八十一个，以此掌管天下的内事，以此彰明女子柔顺的德行，以此使得天下所有家庭都能内部和谐，管理有序。君王设立六官，三公、九卿、二十七大夫、八十一元士，以此管理天下的外事，以此彰明天下男子的教化，因此外事和顺了，国家就能得到治理。所以说："君主掌管男子的教化，王后掌管对妇女柔顺德行的教化；君主治理阳道，王后治理阴德；君主治理外事，王后治理内事。教化成为习俗，外事内事都变得顺利，国家就能得以治理，这才是盛德呀！"

乡饮酒义

《乡饮酒义》主要记录的是乡里之间大夫迎接宾客的礼仪，尊敬贤能人的义理。乡是周朝时期的行政单位，乡下面还有州、族等行政单位。天子有六乡，诸侯有三乡。管辖乡的人称为乡大夫，乡学称为庠，每三年举办一次乡饮酒义，地点便在乡学。参加的人，年龄越大，受到的礼遇也就越高。

一

【原文】

乡饮酒之义。主人拜迎宾于庠①门之外，入，三揖而后至阶，三让而后升，所以致尊让也。盥，洗，扬觯②，所以致絜也。拜至，拜洗，拜受，拜送，拜既，所以致敬也。尊让、絜、敬也者，君子之所以相接也。君子尊让则不争，絜、敬则不慢，不慢、不争，则远于斗辨矣；不斗辨，则无暴乱之祸矣。斯君子所以免于人祸也，故圣人制之以道。

【注释】

①庠（xiáng）：古代的乡学校。

②觯（zhì）：古时候的一种酒器。

【译文】

乡饮酒礼的意义。主人在乡学校的门外迎接宾客，进入庠门，相互作揖三次之后才一起来到堂阶前，谦让三次后才登阶入堂，以此表示彼此间的尊敬和谦让。主人洗了手拿起酒杯为宾客敬酒，以此表示清洁。主人感谢宾客的到来，宾客感谢主人为自己洗手举杯，拜谢后宾客会接受主人的美酒，主人则还要向北行礼表示恭敬。尊敬、谦让、洁净、恭敬，这些都是君子之间相交的原则。君子尊敬谦让就不会争斗，清洁恭敬就不敢怠慢，不怠慢、不争斗，就能避免打斗争辩了。不打斗争辩，就不会有暴乱的灾祸了。这也是君子之所以能够免除人祸的原则，所以圣人便根据这样的办法制定了乡饮酒礼。

二

【原文】

乡人、士、君子①，尊于房户之间，宾、主共之也。尊有玄酒，贵其质也。羞出自东房，主人共之也。洗当东荣，主人之所以自絜而以事宾也。

【注释】

①君子：卿大夫。

【译文】

乡大夫、士人、卿大夫举办乡饮酒礼的时候，将酒樽放在房门和室门的中间，宾客和主人一同享用这樽酒。酒樽中盛有玄酒，这是以它的质朴为贵。从东面屋里端出菜肴，这是主人为宾客提供的。洗手的地方设在东边的屋檐下，主人在此洗手以侍奉宾客。

三

【原文】

乡饮酒之礼，六十者坐，五十者立侍以听政役[1]，所以明尊长也。六十者三豆[2]，七十者四豆，八十者五豆，九十者六豆，所以明养老也。民知尊长养老，而后乃能入孝弟。民入孝弟，出尊长养老，而后成教，成教而后国可安也。君子之所谓孝者，非家至而日见之也，合诸乡射，教之乡饮酒之礼，而孝弟之行立矣。

【注释】

①政役：有关乡饮酒义礼仪上的一些差事。

②豆：用来盛酱类食物的容器。

【译文】

在乡饮酒礼上，六十岁以上的人坐着，五十岁以下的人则站在一边听候年长者的差遣，以此表明尊敬长辈。六十岁的人设三豆，七十岁的人设四豆，八十岁的人设五豆，九十岁的人设六豆，以此来表明奉养老人。百姓知道尊敬长者和奉养老人，而后才能孝顺父母友爱兄弟。百姓在家孝顺父母友爱兄弟，在外尊敬长者护养老者，而后就慢慢演变成教化，演变成教化后国家就能安定了。君子所说的孝，并不是挨家挨户、面对面地教导与宣传，只要在行乡射礼的时候把他们聚集起来，教给他们乡饮酒义的礼仪，这样孝顺父母友爱兄弟的礼仪便树立起来了。

四

【原文】

宾必南乡。东方者春，春之为言蠢也，产万物者圣也。

南方者夏，夏之为言假也，养之、长之、假之，仁也。西方者秋，秋之为言愁也，愁之以时察，守义者也。北方者冬，冬之为言中也，中者藏也。是以天子之立也，左圣，乡仁，右义，偝[①]藏也。

【注释】

①偝（bèi）：背向着。

【译文】

宾客一定要面朝南方。春的方位在东边，春的意思为蠢动，能够让万物蠢动的是圣。夏的方位在南边，夏的意思是大，养万物，让万物生长、壮大，就是仁。秋的方位在西边，秋是殓的意思，根据时节来收割收敛，这就是守义。冬的方位是北边，冬的意思是中，中便是收藏起来的意思。所以天子所在的位置，左边是圣，面朝着仁，右边代表着义，背靠着收藏。

五

【原文】

介必东乡，介宾主也。主人必居东方，东方者春，春之为言蠢也，产万物者也，主人者造之[①]，产万物者也。

【注释】

①主人者造之：礼之所供都是主人提供的。

【译文】

副手必须面对着东方，在宾客和主人之间的位置。主人一定要在东方，东方是春的代表，春是万物蠢动的意思，是产生万物的时节；主人为宾客提供各种食物，就是造万物的意思。

射义

射义分为五种，第一种为乡射，就是州长将百姓集聚起来根据序列完成的射礼；第二种是大射，是诸侯和臣子学习的射礼；第三种是燕射，是君主设宴君臣所举行的射礼；第四种是宾射，是天子诸侯宴请宾客时的射礼；第五种是泽宫之射，是天子祭祀前主祭人的射礼。

一

【原文】

古者诸侯之射也，必先行燕礼①；卿大夫、士之射也，必先行乡饮酒礼。故燕礼者，所以明君臣之义也；乡饮酒之礼者，所以明长幼之序也。

【注释】

①燕礼：闲暇的时候，诸侯和卿大夫之间举办的饮酒礼。

【译文】

古代诸侯之间举办射礼的时候，一定会先举办燕礼；卿大夫、士人之间举办射礼的时候，一定会先举办乡饮酒礼。所以说，燕礼是用来明确君臣之间的道义；乡饮酒的礼仪，是为了明确长幼次序。

二

【原文】

故射者，进退周还[①]必中礼，内志正，外体直，然后持弓矢审固；持弓矢审固，然后可以言中。此可以观德行矣。

【注释】

①周还（xuán）：周旋。

【译文】

射箭的人，进退旋转一定要符合礼，内心端正，外要身体挺直，然后再拿着弓箭瞄准箭靶；拿着弓箭瞄准之后，才能够谈射中与否的事。这里可以从人的动作上来考察一个人的德行。

三

【原文】

是故[①]古者天子，以射选诸侯、卿大夫、士。射者男子之事也，因而饰之以礼乐也。故事之尽礼乐而可数为，以立德行者，莫若射，故圣王务焉。

【注释】

①是故：因此。

【译文】

因此古时候的君王利用射礼来选拔诸侯、卿大夫和士人。射箭是男人的事情，所以采用礼乐来进行装饰。因此一件事情能够用礼乐装饰而又可以经常做的，还可以建立德行的，没有比得过射礼的，所以贤明的君王都致力于这种礼。

四

【原文】

孔子射于矍相[1]之圃，盖观者如堵墙。射至于司马，使子路执弓矢出延射，曰："贲军之将，亡国之大夫，与为人后者，不入。其余皆入。"盖去者半，入者半。又使公罔之裘、序点扬觯而语。公罔之裘、序点扬觯而语曰："幼壮孝弟，耆耋好礼，不从流俗，修身以俟死，者不？在此位也。"盖去者半，处者半。序点又扬觯而语曰："好学不倦，好礼不变，旄期称道不乱，者不？在此位也。"盖廑有存者。

【注释】

①矍（jué）相：古代地名。

【译文】

孔子在矍相的一个菜园里表演射礼，围观的人就如重重墙壁一般多。射礼进行到确立司马的时候，孔子让自己的学生子路拿着弓箭邀请想要参加射礼的观众，说："打败仗的将军、丢掉国土的大夫和请求做他人子嗣的人不准踏入园子，其他的人都能够进来。"这一句话赶走了一半的人，另一半的人走进了菜园子。孔子又派遣公罔之裘和序点端着酒杯警示众人。公罔之裘和序点端着酒杯说道："年少时就知道孝顺父母友爱兄弟，年老时喜好礼法，不与世俗同流合污，修身养性直到死去。有这样的人吗？这样的人才能获得宾客的位置。"于是又离开了一半，留下了一半。序点又举着酒杯说：

"喜欢学习而不知疲倦的，喜好礼节而不会改变的，到九十岁、百岁推行道义还不会紊乱，有这样的人吗？这样才能得到宾客的位置。"最后只剩下几个人了。

五

【原文】

天子将祭，必先习射于泽[①]。泽者，所以择士也。已射于泽，而后射于射宫，射中者则得与于祭，不中者不得与于祭。不得与于祭者有让，削以地；得与于祭者有庆，益以地；进爵，绌地是也。

【注释】

①泽：指泽宫。

【译文】

君王将要举行祭祀仪式，一定会在泽宫举办射礼。泽，是选择士的意思。在泽宫举办过射礼后，还要在射宫举办射礼。射中的人能够参加祭祀，而没有射中的人则不可以参加祭祀。不可以参加祭祀的人会受到君王的谴责，封地也会被削减。能够参加祭祀的人会受到君王的褒奖，能够增加封地。得到褒奖的加官晋爵，受到训斥的削减封地。

六

【原文】

射者，仁之道也。射求正诸己，己正而后发，发而不中，则不怨胜己者，反求诸己而已矣。孔子曰："君子无所争，必也，射乎。揖让而升[①]，下而饮，其争也君子。"

【注释】

①揖让而升：作揖谦让才能够上堂。

【译文】

射箭，体现了仁道。射箭的时候求的是个人的心平气和，心平气和、身体挺直后才能射箭，没有射中，不能埋怨比自己强的人，而是要检讨一下自身的不足。孔子说："君子并没有什么可争的，一定有的话，就是射箭了。比赛完后君子要作揖谦让才能够上堂，输掉比赛的人还要被罚酒，这样就算是争也是有君子之风的。"

聘义

聘是访问的意思，聘礼是古时候诸侯之间表达友好的方式。大聘派遣的使者官位高、聘礼重，小聘派遣的使者官位低、聘礼轻。《聘义》主要讲述聘礼仪式中"义"的表现。

一

【原文】

聘礼[①]，上公七介，侯、伯五介，子、男三介，所以明贵贱也。

【注释】

①聘礼：诸侯之间派遣使者前去表示友好的一种礼仪。

【译文】

行聘礼的时候，上公会给使者派遣七名介，侯、伯则会给使者派遣五名介，子、男则给使者派遣三名介，从诸侯不同等级所派遣的介的数量上就能够知道贵贱之分了。

二

【原文】

介绍①而传命，君子于其所尊弗敢质，敬之至也。

【注释】

①绍：一个接一个传达命令的意思。

【译文】

介一个接一个传达聘君的话，表明君子对于自己所尊敬的人不敢简便从事，这是尊敬主君到了极致。

三

【原文】

三让①而后传命，三让而后入庙门，三揖而后至阶，三让而后升，所以致尊让也。

【注释】

①让：谦让。

【译文】

使者要谦让三次才能够传达聘君的命令，谦让三次后才能够走进庙门，作揖三次之后才能够走到堂阶前，谦让三次后才能够登堂，以此来表达对主君的尊敬谦让。

四

【原文】

君使士迎于竟，大夫郊劳，君亲拜迎于大门之内，而庙受，北面拜贶[①]，拜君命之辱，所以致敬也。

【注释】

①贶（kuàng）：赐、赠。

【译文】

主君派遣士在国境处迎接使者，又让大夫在近郊处慰问，主君亲自在大门内迎接并且在庙里接受使者的拜见，接受礼物后，主君会面朝北方拜谢聘君的赠予，拜谢聘君屈尊派使者到来，这便是表达对聘君的尊敬。

五

【原文】

敬让也者，君子之所以相接也。故诸侯相接以敬让，则不相侵陵[①]。

【注释】

①侵陵：侵犯。

【译文】

相互尊敬谦让，是君子之间能够相交的原因。所以诸侯之间相交也以尊敬谦让的方式进行，这样便不会相互侵犯了。

六

【原文】

卿为上摈[1]，大夫为承摈，士为绍摈。君亲迎宾；宾私面，私觌[2]；致饔饩[3]，还圭璋，贿、赠、飨、食、燕，所以明宾客君臣之义也。

【注释】

①摈（bìn）：引导宾客的人。

②私觌（dí）：宾客以私人的名义拜见君主。

③饔饩（yōng xì）：古代迎宾客时准备的丰盛馈赠。

【译文】

主君招待宾客的时候让卿做引导宾客的人，大夫为承摈，士为绍摈。主君亲自迎接宾客，宾客私下里以个人的名义前来拜见主君，主君会给宾客送去无比丰盛的馈赠，并将宾客献上的圭璋退还给他，还要赠送给宾客一些财物，为宾客举办飨礼、食礼和燕礼，这些都表明了宾客之间、君臣之间交往中“义”的原则。

七

【原文】

故天子制诸侯：比年小聘，三年大聘，相厉[1]以礼。使者聘而误，主君弗亲飨、食也，所以愧厉之也。诸侯相厉以礼，则外不相侵，内不相陵。此天子之所以养诸侯，兵不用，而诸侯自为正之具也。

【注释】

①厉：激励。

【译文】

因此君子给诸侯规定了制度：每年进行一次小聘，每三年进行一次大聘，以礼来促使诸侯相互的交往并达到相互激励的目的。使者行聘礼的时候犯了错误，主君就不用亲自为其举办飨礼、食礼。这样一来就能够引起使者的愧疚并且激励他改正。诸侯之间以礼相待并且相互激励，对外不侵犯，对内不欺凌，这是天子能够驾驭诸侯，不用动兵动武，让诸侯自我管理、自行正道的原因。

八

【原文】

以圭璋[1]聘，重礼也。已聘而还圭璋，此轻财而重礼之义也。诸侯相厉以轻财重礼，则民作让矣。

【注释】

①圭璋：古时候礼玉中比较贵重的一种玉器。

【译文】

用圭璋当作行聘的礼物，表明主君看重聘礼。聘礼完成之后主君再把圭璋还给使者，这说明了主君看轻财物而重视礼节的一面。诸侯间用看轻财物重视礼仪的方式来相互激励，这样在百姓之间就会兴起一种谦让的风气。

九

【原文】

主国待客，出入三积[1]；饩客于舍，五牢之具陈于内，米三十车，禾三十车，刍薪倍禾，皆陈于外；乘禽日五双；群介皆有饩牢；壹食，再飨，燕与时赐无数：所以厚重礼也。

【注释】

①积：刍、米等。

【译文】

主国招待使者，会在使者到来和回国时三次提供粮食和饲草；主君会将一些丰盛的馈赠送到使者住的馆舍里，在馆舍内摆放五牢。三十车米，三十车禾，还有比禾多一倍的饲料，都摆放在使者住的馆舍外面，每天都会给使者提供五双乘禽，使者带来的所有群介都有丰盛馈赠，举行一次食礼，两次飨礼，燕礼的次数就没有定数了：这样用厚重的馈赠来表示对聘礼的重视。

十

【原文】

古之用财者不能均如此，然而用财如此其厚者，言尽之于礼也。尽之于礼，则内君臣不相陵，而外不相侵，故天子制之[①]，而诸侯务焉耳。

【注释】

①之：指聘礼的制度。

【译文】

古时候使用财物并不能每样都是这样丰富，可是使用财物之所以这般厚重，是因为他们对礼极为重视。人们对礼都非常重视，那么对内君臣之间不会相互欺凌，对外国家之间不会相互侵犯，所以天子才制定了聘礼的制度，而诸侯也都致力于推行聘礼。

十一

【原文】

聘、射之礼，至大礼也。质明而始行事，日几中而后礼成，非强有力者弗能行也。故强有力者，将以行礼也。酒清，人渴而不敢饮也；肉干，人饥而不敢食也。日莫人倦，齐庄正齐而不敢解惰。以成礼节，以正君臣，以亲父子，以和长幼，此众人之所难，而君子行之，故谓之有行。有行之谓有义，有义之谓勇敢。故所贵于勇敢者，贵其能以立义也；所贵于立义者，贵其有行也；所贵于有行者，贵其行礼也。故所贵于勇敢者，贵其敢行礼义也。故勇敢强有力者，天下无事则用之于礼义，天下有事则用之于战胜。用之于战胜则无敌，用之于礼义则顺治。外无敌，内顺治，此之谓盛德。故圣王之贵勇敢强有力如此也。勇敢、强有力而不用之于礼义战胜，而用之于争斗，则谓之乱人。刑罚行于国，所诛者，乱人也，如此则民顺治而国安也。

【译文】

聘礼和射礼，是最大的礼。天刚亮便开始进行，到了中午之后礼仪才算完成，如果不是强健有力的人是无法做到这样的。所以，那些强健有力的人可以举行这样的大礼。虽然有清酒，渴了也不敢饮用；虽然有肉干，饿了也不敢去吃。天色晚了，人已经很疲倦，但还是要端正神态站好队列而不能有一丝一毫的懈怠。以此来完成礼节，以此来摆正君臣的位置，以此来和睦父子，以此来和睦长幼，这是普通人很难办到的事情，可是君子却能完成，所以才称为有德行。有德行称之为有义，有义称之为勇敢。之所以将勇敢看作是最可贵的，是因为勇敢的人能够行使大义；行使大义的人之所以可贵，是因为他有德行；有德行的人之所以可贵，是因为他能够行礼。将勇敢看作是最可贵的，贵在勇敢的人敢于行使礼仪。勇敢而强健有力的人，天下太平就用于施行礼仪，天下动乱就要克敌制胜。将勇敢用到克敌制胜上面就会所向披靡，用到礼仪方面就会使民众顺从治理。对外没有敌人，对内可以顺治，这就是所谓的盛德了。这也是贤明君主把勇敢强健有力的人看得无比可贵的原因。勇敢强健有力，不用在礼仪和克敌制胜上，而用到个人争斗上，这就是所谓的乱人。国家之所以制定刑罚，所要诛杀的，就是这些乱人。只有这样，百姓才会顺服，国家也才会长治久安。

十二

【原文】

子贡问于孔子曰："敢问君子贵玉而贱碈[①]者，何也？为玉之寡而碈之多与？"孔子曰："非为碈之多故贱之也，玉之寡故贵之也。夫昔者，君子比德于玉焉：温润而泽，仁也；缜密以栗，知也；廉而不刿，义也；垂之如队，礼也；叩之其声清越以长，其终诎然[②]，乐也；瑕不揜瑜，瑜不揜瑕，忠也；孚尹旁达，信也；气如白虹，天也；精神见于山川，地也；圭璋特达，德也。天下莫不贵者，道也。《诗》云：'言念君子，温其如玉。'故君子贵之也。"

【注释】

①碈（mín）：像玉的石头。

②诎（qū）然：声音戛然而止。

【译文】

子贡问孔子："请问君子重视玉却轻视像玉的石头，这是为什么呢？是因为真正的玉少而像玉的石头多吗？"孔子回答说："并不是因为像玉的石头多所以才轻视它，也不是玉少才重视它。从前，君子将一个人的德行比作玉：玉器温润和泽，就好比仁一样；质地细腻而有条理，像智；有棱角可不会割伤人，像义；垂下来好像吊坠，像礼；敲打时声音清脆远扬，最后乐声又戛然而止，像乐；瑕疵掩盖不了美好的部分，美好的部分也掩盖不住瑕疵的地方，像忠；色彩晶莹发亮，像信；光芒如白虹一般，像天；精气神在山川间显露，像地；圭璋只供给君主，像德；天下没有人不看重它，像道。《诗经》说：'想念君子，温润如玉。'所以君子才会如此看重玉。"

丧服四制

《丧服四制》意为丧服制度的方法取于四种美德：仁、义、礼、智。不过，在明清思想家王夫之看来，《丧服四制》还可以称作《仪礼·丧服》，而最终选择前者命名，无非是为了突出"四制"。

一

【原文】

凡礼之大体，体天地，法四时，则阴阳，顺人情，故谓之礼。訾[①]之者，是不知礼之所由生也。

【注释】

①訾（zī）：诋毁。

【译文】

凡是礼的大体原则，要本于天地，顺应四时，效法阴阳，适用于人情，所以才称之为礼。诋毁礼的人，是因为不知道礼是如何产生的。

二

【原文】

夫礼，吉凶异道[①]，不得相干，取之阴阳也。丧有四制[②]，变而从宜，取之四时也。有恩，有理，有节，有权，取之人情也。恩者仁也，理者义也，节者礼也，权者智也。仁、义、礼、知，人之道具矣。

【注释】

①异道：指衣服、容貌、器物都不一样。

②丧有四制：从人情方面来说，四制指的是亲情、义理、节制、权变；而从道德方面来讲，四制指的是仁、义、礼、智。

【译文】

礼，有吉凶之分、原则之别，两者互不干扰，这是取之阴阳的缘故。丧服有四种制度，各种变化都要适宜于事理，这是取之四季更替的缘故。有亲情，有义理，有节制，有变动，这是取之人情的缘故。亲情出于仁，义理出于义，节制出于礼，变动出于智。具备仁、义、礼、智，做人的道理就算是全部具备了。

三

【原文】

其恩厚者，其服重，故为父斩衰[①]三年，以恩制者也。

【注释】

①斩衰：古时候的丧服名。

【译文】

感情比较深的丧服也比较重，所以父亲死后儿子要穿着斩衰守孝三年，这便是以亲情为原则的丧制。

四

【原文】

门内之治恩揜[①]义，门外之治义断恩。资[②]于事父以事君而敬同。贵贵，尊尊，义之大者也。故为君亦斩衰三年，以义制者也。

【注释】

①揜（yǎn）：掩盖。

②资：操办。

【译文】

为亲属料理丧事，重亲情而掩没义理，为亲属之外的人料理丧事，重义理而断绝亲情。用侍奉父亲的态度来侍奉君主，并献出同样的尊敬。尊重高贵的人，尊重年长的人，这是义理中最为主要的方面。所以也应该为君王穿斩衰服丧三年，这就是以义理为原则的丧制。

五

【原文】

三日而食，三月而沐，期而练，毁不灭性，不以死伤生也。丧不过三年，苴衰[①]不补，坟墓不培[②]，祥之日，鼓素琴[③]，告民有终也，以节制者也。

【注释】

①苴（jū）衰：苴，结子的麻，意思是用麻做的丧服破了。

②坟墓不培：坟墓上不用再加一层土。

③素琴：没有任何装饰的琴。

【译文】

父母去世三天后可以吃饭，去世三个月后可以洗头，去世一年后可以佩戴练冠，虽然心情极其悲痛但也不至于危及生命，不能因为死者而伤害活着的人。服丧不会超过三年，麻布的孝服破了也不可以补，坟墓上也无须另添一层土，到了大祥祭的日子，孝子可以弹素琴，告诉他人丧期将要终止，这便是以节制为原则的丧制。

六

【原文】

始死，三日不怠，三月不解，期悲哀，三年忧，恩之杀[1]也。圣人因杀以制节，此丧之所以三年，贤者不得过，不肖者不得不及。此丧之中庸也，王者之所常行也。

【注释】

①杀（shài）：减少，降低。

【译文】

亲人刚刚去世的时候，前三天要大哭不已，前三个月都不能宽衣解带，一年之后脸上还有悲哀的神色，三年之后忧伤藏在心里，悲痛也有所降低。圣人便根据哀伤减轻的时间来制定节制原则，这就是将丧期定为三年的原因。贤能的人不能超过这个时间，不贤能的人也不能不到这个时间。这就是丧期的中庸之处，君王也是按照这种制度施行的。